Interpretationen zeitgenössischer deutscher Kurzgeschichten

BAND III

Von Dr. Karl Brinkmann

4. Auflage

C. Bange Verlag - Hollfeld

INHALTSÜBERSICHT

Heinrich Böll

BIOGRAPHISCHE DATEN

Heinrich Böll ist am 21. Dezember 1917 in Köln geboren. Nach der Gymnasialzeit machte er eine Buchhändlerlehre durch. Von 1938 bis 1945 war er Soldat. Dann studierte er und verdiente das Geld dazu als Hilfsschreiner und Angestellter. Nach den ersten schriftstellerischen Erfolgen ließ er sich in seiner Heimatstadt als freier Schriftsteller nieder. 1949 erschien sein erster Roman: „Der Zug war pünktlich" Ein Jahr später kamen seine ersten Erzählungen in dem Band „Wanderer, kommst du nach Spa . . ." heraus. Mit diesen und den folgenden Werken „Wo warst du, Adam?" (1951), „. . . und sagte kein einziges Wort" (1952), „Nicht nur zur Weihnachtszeit" (1953), „Haus ohne Hüter" (1954), „Irisches Tagebuch" (1957), „Dr. Murkes gesammeltes Schweigen und andere Satiren" (1958), „Billard um halbzehn" (1959) und anderen Werken gehört Heinrich Böll nicht nur zu den am meisten in Deutschland beachteten Schriftstellern, er ist auch einer der am häufigsten übersetzten deutschen Gegenwarts-Autoren.

DER MANN MIT DEN MESSERN

Es geht in dieser Erzählung wie in den meisten frühen Arbeiten Bölls um den Menschen in den Wirren und der Not der Nachkriegszeit. Eine Katastrophe von bis dahin unvorstellbaren Ausmaßen hat die Menschen befallen. Scheinbar für ewig gesicherte, im Kriege erbittert und unter blutigen Opfern verteidigte Werte sind als Schwindel entlarvt. Alle soziale Ordnung ist aufgehoben, das Gesetz des Krieges, nach dem es nur darauf ankommt zu überleben, gilt mit aller Härte und Grausamkeit weiter, aber an die Stelle von kämpferischem Geist und Tapferkeit sind Gesinnungslosigkeit und Gerissenheit getreten. Am schlimmsten ist der Soldat daran, der von der Schulbank oder der Lehre aus in den Krieg zog und durch Jahre nichts anderes gelernt hat, als zu schießen, zu töten, das eigene Leben zu sichern. Er hoffte unter den Opfern und Mühsalen des Frontlebens auf eine spätere Geborgenheit in einer dankbaren und sicheren Heimat. Nun kehrt er heim in zertrümmerte Städte, in wirtschaftliches und soziales Chaos. Die Gesetze und sittlichen Vorschriften, unter denen sein Soldatenleben stand, sind ungültig. Er ist, ohne darauf vorbereitet zu sein, in eine Umwelt geworfen, in der es genau wie im Kriege nur darauf ankommt, zu überleben, sich zu erhalten. Diese Umwelt aber ist grausam, sie ist vom Kriege her an blutige Sensationen gewöhnt. Für den heimkehrenden Soldaten hat sie noch keinen Platz. Was er in Jahren der Gefahr, der Opfer, des höchsten persönlichen Einsatzes erlernte, bedeutet nichts in diesem neuen, härteren Lebenskampf. Es gibt keinen offenen Gegner mehr, den man bekämpfen kann. Es gibt überhaupt keinen Gegner, der Soldat steht vor dem Nichts. Er versucht, sich hineinzutasten in diese Umwelt, aber da sind anonyme, unsichtbare Widerstände: Unkenntnis der Umwelt, Unzulänglichkeit der Verhältnisse, Hunger und Armut, Mangel an Arbeitsmöglichkeiten. Der einzelne fragt nicht mehr, warum das so ist, es gilt nur zu überleben, bis diese harte und grausame Zeit einmal zu Ende geht. Aber niemand vermag so recht daran zu glauben, daß er dieses Ende noch erleben wird. Die Menschen haben noch nicht zur Menschlichkeit zurückgefunden. Wie in einem Taumel leben sie noch dahin in dem Blutrausch, den der Krieg hemmungslos entfesselte. Die befreiten Instinkte suchen die aufpeitschende Sensation, den Nervenkitzel, die von außen entfachte Erregung.

„Ich bin von der einleuchtenden Voraussetzung ausgegangen, daß die Leute, wenn sie an der Kasse ihr Geld bezahlt haben, am liebsten solche Nummern sehen, wo Gesundheit oder Leben auf dem Spiel stehen — genau wie im römischen Zirkus — sie wollen wenigstens wissen, daß Blut fließen *könnte*", sagt der einstige Feldwebel und jetzige „Artist" Jupp. Er hat sich eingerichtet, indem er aus einer alten leidenschaftlich betriebenen Liebhaberei, dem Messerwerfen, einen Job machte. Zu dem wenigen, was aus dem Besitz seiner Eltern gerettet worden war, gehörten dreizehn Messer. Mit ihnen trainierte er ein Jahr lang, dann konnte er auf Kleinkunstbühnen auftreten. Er brauchte aber den großen Trick. Er glaubte, ihn gefunden zu haben, als er das Messer hoch gegen einen eisernen Träger warf, an dem es abprallte und dann genau in ein Brett, das er über den Kopf hielt, einschlug. Aber der Erfolg ist mager, er bleibt eine kleine Nummer. Dem Publikum genügt das nicht, es will wenigstens die Illusion haben, daß das Spiel gefährlich, ja lebensbedrohend ist, daß Blut fließen könnte. Jupp braucht einen Partner oder besser noch eine Partnerin, nach der er werfen kann. Der Erzähler, der im Ichton berichtet, ist ein Kriegskamerad Jupps, den er aufsucht. Ihm ging es weniger gut, er hat noch keinen Anschluß gefunden, er schlägt sich als Gelegenheitsarbeiter durch. Für ein Stück Brot hat er hundert Steine suchen und putzen müssen. Nun teilt er das Brot mit Jupp, wie sie es im Kriege lernten, sie teilen das letzte miteinander. Dann naht die Stunde, in der Jupp auftreten muß. Er lädt den Kameraden ein. Und plötzlich hat er die Eingebung: sein Kamerad wäre der richtige Partner für ihn in der geflickten Kleidung mit den zerrissenen Schuhen. Mit dem Mute der Verzweiflung stimmt dieser zu. Unter grotesken Umständen, die billigster Sensation dienen, wird er eingeführt, zu seiner Sicherheit an eine dorische Säule gebunden und dient nun als Zielscheibe für die Messer. Jetzt, da der blutgierigen Sensationslust des Publikums Genüge getan wird, tritt der Erfolg ein. Der Besitzer der „Sieben Mühlen“ erhöht die Abendgage von zwölf auf vierzig Mark. Der ehemalige Oberleutnant erlebt das alles wie einen Traum, erst eine Stunde später begreift er, daß er nun einen „Beruf“ hat. Jupp ist „Der Mann mit den Messern“, er ist „der Mensch, nach dem man mit Messern wirft.“ Es sei hier davon abgesehen, daß etwas Unmögliches erzählt wird, daß kein ehrenhafter Artist Messer auf einen Menschen werfen wird, mit dem er nicht vorher jede Phase der Darbietung trainiert hat. Bei jeder Messerwerfer-Nummer ist die Konzentration und die Sicherheit des Partners mindestens ebenso wichtig wie die des Werfers. Böll ist es aber nicht darauf angekommen. Es geht ihm um die groteske, menschenunwürdige Umkehrung der Verhältnisse. Die Lebensgefahr bleibt die gleiche wie im Kriege. Damals aber setzte der Soldat sein Leben für ein fest geglaubtes Ideal ein, für hohe Werte. Jetzt wagt er es, um die Sensationsgier der Menge zu befriedigen und so seinen Lebensunterhalt zu gewinnen, es geht um Werte, die in Mark und Pfennig oder nach damals gültiger Währung in Brot und Zigaretten ausgedrückt werden können. Die Menschenwürde ist zertreten, der Mensch gilt nichts mehr, er ist Objekt wirrer und hoffnungsloser Zustände geworden, die man überleben, nicht aber meistern kann. „Zum Kotzen", lautet Jupps erster Kommentar zu dieser Lebenssituation. Zweifellos liegt ein aus dem Ressentiment des enttäuschten Heimkehrers erwachsenes Selbstmitleid über dem Bericht, wie er auch bei Wolfgang Borchert öfters durchbricht. Auch Borcherts Beckmann in „Draußen vor der Tür" sucht den Artistenberuf. Aber im Gegensatz zu Bölls Heimkehrer erreicht er ihn nicht, weil er nicht die geringste Anpassung an die neuen Verhältnisse vollzieht. Bei Böll aber ist diese Anpassung, dieser Verzicht auf die eigene Menschenwürde vollzogen als Entschluß der Verzweiflung, er ist Resignation. Jupp, der so schwärmerisch träumen kann und so realistisch denkt und handelt, führt auch den zunächst halb und schließlich ganz unbewußt reagierenden Kameraden in diese verzweifelte Resignation. Dabei handelt er wie im Kriege als Kamerad, er hilft dem Kameraden. Die eine Soldatentugend hat er gerettet in diese düstere und hoffnungsleere Gegenwart, und diese selbstverständliche Gemeinschaft bleibt der einzige Lichtstrahl in der trostlosen Erzählung. Erzählt wird realistisch, es wird einfach und sachlich referiert. In der direkten Rede, aber auch an Höhepunkten der Resignation, insbesondere vor dem Auftritt im Varièté nähert sich die Sprache dem Landserjargon an. Lange wird die Spannung hingehalten, erst auf der achten von fünfzehn Seiten wird erstmals der Gedanke angedeutet, daß aus dem ehemaligen Oberleutnant und jetzigen Gelegenheitsarbeiter der „Mann, nach dem man mit Messern wirft" werden könnte. Dann bricht rasch die Entscheidung herein. Aber sie ist nicht die letzte, die eigentliche, die den Menschen zum Schauobjekt einer sensations- und blutlüsternen Menge macht. Diese muß im einzelnen Menschen selbst vollzogen werden. So sind die Vorbereitungen, die Jupp dem „großen Trick" voranschickt, ausführlich dargestellt, mit peinlicher Sorgfalt, ohne eine Bewegung oder ein Wort auszulassen. Dann steht da ein merkwürdiger Satz: „Es war ein herrliches Gefühl; es währte vielleicht zwei Sekunden." Es ist der Augenblick, in dem die Messer fliegen. Der Kitzel der Sensation, der Zauber der Gefahr hat den Mann erfaßt. Der Genuß der Selbstherrlichkeit und des Selbsterhaltungstriebes erfaßt ihn, das Gefühl eines Menschen, der auf einem sehr schmalen Balken über einen unendlichen Abgrund geht: „Ich ging ganz sicher und fühlte doch alle Schauer der Gefahr ... ich hatte Angst und doch die volle Gewißheit, nicht zu stürzen, ich zählte nicht, und doch öffnete ich die Augen in dem Augenblick, als das letzte Messer neben meiner rechten Hand in die Tür schoß." Der entwürdigte Mensch findet sich nicht nur mit seinem Schicksal ab, er genießt es. So kann der Mann in bitterer Ironie, die er nicht mehr begreift, feststellen, daß er „nun einen richtigen Beruf" hat. Er fügt sich in die alles Hohe, Große und Edle ent- und zur Sensation umwertende neue Mentalität ein, er ist ein Mensch der neuen Gegenwart geworden. Es ist ein bedrückender, trostloser und zugleich ärgerlicher Entschluß.

DAMALS IN ODESSA

Ein scheinbar belangloses Erlebnis im Krieg wird schlicht und sachlich von einem Beteiligten erzählt. Drei erst vor acht Wochen von der Schulbank oder aus der Lehre eingezogene Grenadiere warten in einer dunklen, verlausten Kaserne in Odessa darauf, zum Einsatz auf der Krim abgeflogen zu werden. Jeden Morgen werden sie mit vielen anderen zum Flugplatz gefahren, wo es dann heißt, es sei kein Flugwetter, und das Warten geht weiter. Zermürbend ist dieses Warten, hinter dem die Angst vor dem Kriege auf der Krim steht, einem Kriege, von dem es nach allgemeiner Meinung keine Rückkehr gibt. Sie versuchen, aus der überfüllten Kaserne auszureißen, in die Stadt zu gehen. Zweimal werden die drei geschnappt und müssen zur Strafe die großen Kaffeekannen schleppen und Brot abladen, das für die Front bestimmt ist. Dabei steht „in einem wunderbaren Pelzmantel, der für die sogenannte

Front bestimmt war, ein Zahlmeister und zählte, damit kein Brot plattgeschlagen wurde." Dieser Zahlmeister wird zur Verkörperung der quälenden Langeweile unter bedrückender Angst vor der Zukunft, wo von ihr die Rede ist, wird er erneut mit fast gleichen Worten heraufbeschworen.

Am dritten Tage gelingt es den dreien durch einen einfachen Trick, aus der Kaserne zu kommen. Recht hilflos und ziellos wandern sie durch die holprigen Vorstadtgassen. Es ist erst vier Uhr, aber schon dunkel. Soldaten, die aus der Kaserne kommen und zu ihr gehen, begegnen ihnen. Sie haben Angst vor der Streife, am liebsten gingen sie zurück, aber sie wissen, daß die Verzweiflung sie sogleich heimsuchen wird, wenn sie wieder in der Kaserne mit ihrer geschäftigen und lauten Eintönigkeit sind: „Es war besser, Angst zu haben als nur Verzweiflung." Sie kommen an Häusern vorbei, aus denen Stimmen tönen, trauen sich aber nicht hinein. Endlich kommen sie an ein helles Fenster, hinter dem Soldatenstimmen von der „Sonne von Mexiko" singen. Sie gehen hinein und finden sich in einer Wirtsstube, in der sich Soldaten amüsieren, manche haben Weiber bei sich. Es gibt Wein und Fleisch, aber ihr Geld ist recht knapp für dieses Lokal. Jeder hat nur zehn Mark, das reicht gerade für eine Karaffe Wein und eine Wurst. Als sie die Wurst aufgegessen haben, sitzen sie da und wissen nicht, was sie tun sollen, der Lehrling aus einer Lederfabrik, der Bauernsohn und der Gymnasiast in der neuen kratzenden Uniform.

Ein großer Obergefreiter, der an der Theke steht, dreht sich immer wieder nach den kleinen Soldaten um und lacht sie aus. Gutmütig spendiert er ihnen dann einen Schnaps. Dann winkt er sie zu sich und macht ihnen klar, daß sie verrückt sind, kein Geld zu haben. Sie brauchen nur etwas zu „verscheuern". Als sie ihm sagen, daß sie auf die Krim fliegen sollen, macht er ein ernstes Gesicht und sagt nichts. Aber er hilft ihnen, einen Füllfederhalter, eine Uhr und ein neues Portemonnaie, die sie zusammengelegt haben, für zweihundertfünfzig Mark an die Wirtin zu verkaufen. Als sie zögern, sich von ihrer spärlichen Habe zu trennen, macht ihnen der Obergefreite den Standpunkt klar: „Wenn wir am nächsten Tag vielleicht auf die Krim flögen, wäre ja alles egal." Nun beginnen die drei hungrigen Jungen ein gewaltiges Schlemmen, sie essen Fleisch

mit Weißbrot, Würste und Kuchen, sie trinken Schnaps und dickes dunkles Bier. Neue Soldaten kommen hinzu, sie alle singen vergnügt: „Ja, die Sonne von Mexiko". Sie trinken, ohne betrunken zu sein, bis die letzte Mark ausgegeben ist. Dann gehen sie zur Kaserne zurück, wo sie auf die Wachtstube befohlen werden. Der Unteroffizier schnauzt sie an und erklärt, sie würden die Folgen schon sehen. Aber das rührt sie kaum noch an. In der Nacht schlafen sie sehr gut, und am nächsten Tag ist es kalt, aber klar. Wieder fahren sie zum Flugplatz, und nun steigen sie endgültig in die Flugzeuge ein: „Und als sie hochstiegen, wußten wir plötzlich, daß wir nie mehr wiederkommen würden, nie mehr . . ."
Ein einfaches Landsererlebnis wird von einem Landser erzählt, ein Streich, wie er zu den vergnüglichen Höhepunkten im eintönigen Soldatenleben gehört. In Friedenszeit wäre es ein Schwank. Aber hier steht hinter ihm die ungeheure Bedrohung, das dunkle Verhängnis, die Ahnung und schließlich das Wissen, das dieses Erleben endgültig und abschließend ist. Drei Jungen, die kaum den Kinderschuhen entwachsen sind, denen das Soldatenhandwerk keineswegs vertraut ist, werden an einen Frontabschnitt geschickt, von dem es nur durch ein Wunder noch eine Rückkehr geben kann, dessen Verteidigung aber sinnlos ist. Ihre Jugend wird dem Ehrgeiz, vielleicht nur der Eitelkeit der Machthaber geopfert. Aus der Verzweiflung und Angst, der kreatürlichen Angst, retten sie sich in ein Erlebnis, das im dumpfen Warten des Soldatenlebens schon ein großes Abenteuer ist. Für zwei Stunden entziehen sie sich der sturen Eintönigkeit, dem quälenden Gleichmaß der Kaserne. Der Lebenswille macht sie mutig, sich aus dem Einerlei zu lösen, die Wache zu überlisten, das Verbotene zu tun, dem eigenen Wunsch zu folgen, kurz gesagt: Mensch zu sein. Das wäre amüsant, wenn nicht das Grauen der Endgültigkeit darüber schwebte. Am nächsten Morgen werden sie, die noch kaum wissen, was leben heißt, zur Krim geflogen. Unter anderen Verhältnissen hätte es für ihre Disziplinwidrigkeit vielleicht „drei Tage Bau" gegeben. Dazu haben sie keine Zeit mehr, das Sterben ist vordringlicher geworden. So wird die Erzählung zu einer leidenschaftlichen Anklage gegen den Krieg, gegen seine Sinnlosigkeit und Grausamkeit, gegen das vergebliche Opfern einer unerfahrenen Jugend.

Einer der Jungen erzählt, aber er hat kein rechtes Ich-Bewußtsein mehr, es ist Teil eines großen „Wir" geworden und spricht deshalb auch immer von: wir. Die Einzelpersönlichkeit, sowieso noch unausgereift, geht in der Masse unter, jeder will, befürchtet und hofft das, was alle wollen, befürchten und hoffen. Jeder lebt nur dem Moment, der aber meistens bedrückender und beängstigender Stillstand ist, in dem das Leben nicht weitergeht. Es ist eine Tat, diesem Stillstand zu entfliehen, sei es auch nur für wenige Stunden, wieder zu leben, das Leben zu genießen, sei es auch nur bei Schnaps und Bier. Hier aber wird die letzte Habe dafür geopfert, die Jungen brauchen das alles nicht mehr, ihr Schicksal ist schon entschieden, ehe es begonnen hat. Sprachlich wird die Eintönigkeit des Kasernenbetriebes durch die Wiederholung der gleichen Wendung, „die großen rappelnden Lastwagen", das „Kopfsteinpflaster", „die Zahlmeister in den schönen Mänteln", die der Front zugedacht waren, womit schlagartig die ausgebrochene Korruption beleuchtet wird, eindrucksvoll verstärkt. Dreimal taucht das Motiv des Sterbens auf, zunächst als Möglichkeit: „Wir wollten nicht sterben, wir wollten auch nicht auf die Krim", dann im plötzlichen Verstummen des sonst so munteren Obergefreiten, am Schluß aber erst in der Gewißheit des Endgültigen. Erst von diesem Ende her wird die Handlung zur verzweifelten und doch hilflosen Auflehnung des jugendlichen Lebenswillens gegen das sinnlose, verfügte Verhängnis, sie wird tragisch.

„WANDERER, KOMMST DU NACH SPA . . ."

Den Spartiaten, die 480 v. Chr. bei der Verteidigung der Thermopylen unter dem König Leonidas gegen gewaltige persische Übermacht durch Verrat fielen, gilt das Distichon: „Wanderer, kommst du nach Sparta . . ." Man lernte in der Schule, daß sie durch ihren Kampf und Opfertod ihren Mitbürgern Zeit verschafften, die nötige Rüstung zu vollenden, die ihnen dann den ruhmvollen Sieg über die Perser ermöglichte. Über dem Kampf und Tod dieser Helden stand unsichtbar das Wort: „Und ihr habt doch gesiegt!" Diese Helden des Leonidas haben die abendländische Kultur gerettet. Aber sie wurden noch mehr, sie wurden das Sinnbild des tapferen und opferwilligen Einsatzes für das heilige Vaterland, das Vorbild für die Jugend. Mit ihnen verbanden sich noch viele andere Helden, vom Großen Kurfürsten mit seinem bis in den Tod getreuen Stallmeister, über den alten Fritz bis zu den Meisterboxern und Fußballstars der Gegenwart. Richtige Helden waren allerdings nur die, welche kämpften, siegten oder starben. Das dritte Reich bescherte neue Helden wie Adolf Hitler und Hermann Göring, um deren Heldentum ganze Mythen gesponnen wurden. Im Ernstfall blieben sie dann allerdings lieber im bombensicheren Bunker. Mit nebelhaften Phrasen wurde die junge Generation zum Glauben an den hohen Wert und Sinn des heldenhaften Opfers erzogen, zur Begeisterung für Kampf und Heldentod, eine goldene Gloriole schien darüber zu stehen, wie der vergoldete Eichenkranz und das Eiserne Kreuz auf dem Kriegerdenkmal. Daß Krieg heute Massenvernichtung mit technischen Mitteln ist, daß individuelles Heldentum höchstens in einzelnen Randfällen zur Geltung kommen kann, sagte niemand. Dann zogen die jungen Menschen von der Schulbank in den Krieg, es gab zermürbenden Drill und Langeweile, Schmutz und Blut, Hunger und Durst, Zigaretten und Schnaps, Dreck und Läuse, Schmerzen, Massensterben, Grauen und Weitermarschieren, Angst, Stumpfsinn, Sturheit. Keine Brücke führte von dem am Vorbild leuchtender Helden geschulten Idealismus zur rauhen, grausamen und unerbittlichen Wirklichkeit.

Der unauflösliche Widerspruch zwischen gelerntem Heldentum und dem Alltag des Krieges ist der Inhalt dieser Erzählung. Der unberechenbare Zufall bringt den von der Schulbank ins Feld gezogenen jungen Soldaten als Schwerverwundeten in sein ehemaliges Gymnasium zurück, das jetzt als Hilfslazarett dient. Die Stadt ringsum brennt, immer wieder werden neue Verwundete gebracht, Ärzte und Sanitäter arbeiten bis zum Umfallen, es fehlt an allem, selbst das Wasser für die Fiebernden ist knapp. Aus furchtbaren Schmerzen und Fieber erkennt der junge Verwundete allmählich seine Schule wieder, die er acht Jahre besucht und erst vor drei Monaten verließ. Es sind die altvertrauten Bilder, die gewohnten Gänge und

Türen, das wohlbekannte Kriegerdenkmal. Aber an dem Verwundeten, der in das oberste Stockwerk zum Zeichensaal, der in einen provisorischen Operationssaal verwandelt wurde, getragen wird, geht das alles, die Figuren, die Bilder antiker und preußischer Helden, die Rassenbilder, das bunte Bild von Togo, wie unwirklich, wie ein Traum vorüber. Er versucht sich zu orientieren, aber kein Gefühl sagt ihm, daß er in seiner Schule ist. Er kennt jede Einzelheit, und doch ist ihm alles unendlich ferngerückt, ihn beherrschen Lebensangst und Leere. Plötzlich denkt er daran, daß sein Name einmal auf dem Kriegerdenkmal stehen wird: „... zog von der Schule ins Feld und fiel für ..." Er weiß nicht, wofür, die Schule ist von ihm abgefallen. Aber er weiß, daß er den Zeichensaal, in dem er Vasen zeichnen und Schriften üben mußte, die ihm doch nie gelangen, immer am meisten haßte. Das Stübchen des alten Hausmeisters fällt ihm ein, in dem es einst Milch zu kaufen gab, und das jetzt als Totenkammer dient. Die Erinnerungen mischen sich wirr mit dem Wunsch, herauszukriegen, welche Verwundung er hat, aber ihm kommt „das alles so kalt und gleichgültig vor." Über der Tür des Zeichensaales erkennt er den Fleck, an dem einst das Kreuz hing, als es noch erlaubt war, Kreuze in den Schulen aufzuhängen. Alles Überstreichen hat nichts genützt, der Fleck schlägt durch. Endlich liegt er auf dem Operationstisch. Ein alter Feuerwehrmann assistiert dem Arzt, der noch in Instrumenten herumkramt. Er lächelt ihm ermutigend zu. Der Verwundete aber sieht die Tafel, mit der man den Operationstisch gegen den übrigen Saal abschirmt, und auf ihr entdeckt er seine eigene Schrift. Sie mußten damals den Spruch „Wanderer, kommst du nach Sparta" in Antiqua, Fraktur, Kursiv, Römisch, Italienne und Rundschrift abschreiben. Er selbst war an der Tafel, und der Lehrer schimpfte sehr, weil er die Schrift zu groß gewählt hatte und nur bis „Spa" kam. Im gleichen Augenblick, als er seine Schrift erkennt, zuckt er unter der Spritze des Arztes zusammen. Man hat ihn aus den Verbänden gewickelt, er hat keine Arme und kein rechtes Bein mehr und stürzt nach hinten, weil er sich nicht aufstützen kann. Der Feuerwehrmann hält ihn fest und verdeckt die Tafel. Er riecht den brandigen, schmutzigen Geruch seiner Uniform und sieht sein müdes, trauriges Gesicht. Plötzlich erkennt er ihn: er ist der alte

Hausmeister der Schule. „Milch", sagt er leise. Er ist wieder Schuljunge geworden. Aber die Kammer, in der er einst Milch kaufte, ist zur Totenkammer geworden.
Es ist sicher kein Zufall, daß diese auf den einzigen großen Widerspruch konzentrierte Erzählung besonderes Aufsehen erregte. Der Spruch geht nicht zu Ende, die Aufgabe ist nur zum Teil gelöst, der junge Soldat kann sterben, aber das Ideal, dem er leben und sterben sollte, ist nicht da, es fügt sich nicht in die Wirklichkeit. Das alles ist sachlich, realistisch erzählt. Wirklichkeit und Wahrheit genügen, es bedarf keines kritischen Wortes. Eine traurige Ironie liegt über dem Bemühen des jungen, vom Tode gezeichneten Menschen, sich in seiner alten Umwelt, die so schrecklich ihren Zweck veränderte und doch in allen Einzelheiten unverändert blieb, zurechtzufinden. Jeder eingestreute Kommentar müßte sentimental werden. Böll hat nichts davon, seine Sprache ist hart, männlich, manchmal soldatisch. Die Erzählung selbst ist Anklage gegen die sinnlosen Opfer, Protest gegen den Verschleiß einer zu nebelhaften Idealen erzogenen Jugend. Sie ist aber auch Warnung vor dem Mißbrauch des jugendlichen Idealismus, vor neuen Phrasen und verlogenen, weil der Wirklichkeit nicht standhaltenden Idealen, vor neuem Mythos und neuen Legenden. Sie ist Ruf zur rückhaltlosen Erfassung der Wahrheit.

LOHENGRINS TOD

Böll schildert in dieser Kurzgeschichte ein Kinderschicksal aus der Notzeit der Nachkriegsjahre. Es wird im Rahmen einer Krankengeschichte dargestellt. Ein etwa zwölfjähriger Junge wird mit zerschmetterten Beinen ins Krankenhaus eingeliefert, in dem alles überarbeitet und nervös ist. Er wird von der Bahre auf das Ledersofa in der Ambulanz umgebettet. Weil das Kind ununterbrochen vor Schmerzen schreit, gibt ihm der Arzt eine schmerzstillende Spritze. Eine Nonne kommt hinzu. Sie ist eilig und hat etwas Dringendes zu melden. Als sie den Jungen sieht, tritt sie zu ihm

und legt beruhigend die Hand auf seine Stirn. Gemeinsam mit der Nachtschwester zieht sie das Kind aus und sie erkennen, daß Blut und Stoffetzen von der Hose dick mit Kohlenstaub vermischt sind. Der Junge ist beim Kohlenklauen vom fahrenden Zug gestürzt. Sein Oberkörper ist erschreckend mager. Der Arzt ordnet an, daß er zum Röntgen fertiggemacht wird, weil er eine doppelte Fraktur annimmt. Er selbst ist nervös. Der Kollege, der ihn längst hätte ablösen müssen, kommt nicht. Sie haben gemeinsam ein Schwarzgeschäft mit Strophantin, der Arzt hat Sorge, daß der Kollege geschnappt wurde, macht sich gleichzeitig Vorwürfe, weil er ihn sitzenläßt, während er doch im anderen Falle am Gewinn beteiligt gewesen wäre. Die Nonne war gekommen, um ihn zu einer anderen kleinen Patientin zu holen, mit der es zu Ende zu gehen scheint. Hilflos und wütend zugleich bekennt der Arzt seine Ohnmacht. Aber er geht dann doch zu dem Kinde. Der Junge bleibt mit den beiden Schwestern allein, die seine Krankengeschichte aufnehmen. Seine Mutter ist tot. Nach dem Vater wagen die Schwestern nicht zu fragen. Benachrichtigen müssen sie den älteren Bruder, der aber nachts nicht zu Hause ist. Auf die Frage, wo er arbeitet, schweigt der Junge. Zu Hause sind allein die beiden Kleinen, ein acht- und ein fünfjähriger Bruder, die er versorgt hat, die auf ihn warten, damit er ihnen das Essen gibt. Als Vornamen gibt er Grini an, eigentlich heißt er Lohengrin, denn er ist 1933 geboren, als die Bilder Adolf Hitlers auf den Bayreuther Festspielen durch alle Zeitungen gingen. Getauft ist er nicht.
Der Arzt kommt und ruft die beiden Schwestern eilig ab. Er will bei der kleinen Patientin noch eine Bluttransfusion versuchen. Als das Kind allein ist, läßt es den Tränen freien Lauf. Der Junge weint nicht aus Schmerz, er weint aus Glück, vor dem unbekannten wohligen Gefühl, das von der Spritze ausging: „Er hatte sich noch nie im Leben so wunderbar gefühlt, wie jetzt nach der Spritze." Aber er weint auch aus Schmerz und Angst, wenn er an die Kleinen denkt, die zu Hause auf ihn warten, die auf jeden Tritt im Hause lauschen, immer wieder zur Tür stürzen und durch den Spalt Ausschau nach ihm halten, und die dann immer erneut enttäuscht werden. Es besteht keine Hoffnung, daß sich die Nachbarin um die Kleinen kümmert, sie hat es nie getan, mag Kinder nicht und

wird von ihnen gefürchtet. Die Kinder werden auch nicht wagen, an das Brot zu gehen, allzu streng hat er es ihnen verboten, seitdem sie ein paarmal die ganze Ration aufgegessen hatten. Jetzt schmerzt es den Jungen, daß er so hart mit ihnen war, sie sogar bestrafte, aber was hätte er tun sollen?
Vor ihm tauchen die Ereignisse auf, die zu seinem Unfall geführt haben. Es war schwerer als sonst, weil die Luxemburger den Zug scharf bewachten und schossen, sobald sich etwas Verdächtiges zeigte. Aber es war Anthrazit, für den es achtzig Mark gab, den konnte er nicht durchgehen lassen. Er war der Bewachung durchgeflutscht, auf den Zug gekommen, hatte den Sack gefüllt und heruntergeworfen, dann nachgeschmissen, was er holen konnte. Da hielt der Zug plötzlich, und von da ab weiß er nur noch, daß er Schmerzen hatte. Dann gaben sie ihm die Spritze, von der das Glück ausging, ein großes, ihm noch ganz unbekanntes Glück, über das er weinen muß. Ein Arzt würde es nüchtern Wurstigkeit, Befreiung von jeglicher Lebenssorge nennen.
Der Fieberwahn überwältigt den Jungen, er hört erschreckt wieder das Schießen der Luxemburger, fühlt die Härte der spitzen Kohlenstücke, auf denen er Deckung suchen mußte. Er erwägt im Wunschtraum, ob er nicht Schokolade für die Kleinen kaufen soll, aber die Wirklichkeit hat ihn zu hart gefaßt, er weiß, daß sie zu teuer ist, daß es kaum für Brot und Kartoffeln reicht. Aber er will, daß sie sich satt essen, er träumt in Fieberphantasien von gewaltigen Bergen Brot, von der Schule, deren Herr Rektor mit ihm schimpft, von der Angst, die er hatte. Wirr gehen Vorstellungen seines kleinen und doch so verantwortungsbeladenen Lebens in seinem Kopf durcheinander. Die Nonne, die zurückkommt, erkennt die Gefahr. Der Arzt müßte kommen, aber sie kann das phantasierende Kind nicht allein lassen. Das kleine Mädchen ist tot, der Tod ist ein Glück für das Kind. Im Fieber aber schreit der Junge hinaus, was sie vorhin, als seine Personalien aufgenommen wurden, zusammenzucken ließ: „Nix, ich bin nicht getauft." Hilflos ruft die Nonne nach dem Doktor, der sie durch die gepolsterte Tür nicht hören kann. Das schreiend phantasierende Kind beginnt zu wühlen. Die Nonne fühlt, daß die Entscheidung naht, der Puls des Kindes schlägt zum Brechen. Sie geht ans Wasserbecken, findet aber kein Glas. Da

füllt sie ein Reagenzglas mit Wasser, tritt zu dem Kind. Feierlich bekreuzigt sie sich, dann gießt sie das Wasser über des Jungen Stirn und spricht: „Ich taufe dich ..." Durch das kalte Wasser ernüchtert aber hebt der Junge den Kopf so plötzlich, daß der Schwester das Reagenzglas aus der Hand fällt und am Boden zerbricht. Mit einem kleinen Lächeln sagt er matt: „Taufen ... ja ...", dann fällt sein Kopf mit einem dumpfen Schlag zurück auf das Ledersofa. Sein Gesicht sieht nun schmal aus und alt, erschreckend gelb. Da tritt der Arzt mit seinem Kollegen ein, sie lachen vergnügt. Er will wissen, ob der Junge geröntgt ist. Die Schwester kann nur mit dem Kopf schütteln. Der Arzt tritt näher, greift automatisch nach dem Hörrohr, läßt es aber wieder los und blickt auf den Kollegen, der den Hut abnimmt. Lohengrin ist tot.

Im Spiegel eines Kinderschicksals erscheint die Not- und Hoffnungslosigkeit jener Jahre, in denen nach der Katastrophe des Krieges alles sinnlos geworden schien, als alle Ordnung und alle Werte ungültig waren, als nur noch das harte und unerbittliche Gesetz der Selbsterhaltung galt. Die Familie ist auseinandergerissen. Der Junge sagt nicht, daß der Vater erst in drei Wochen kommt, er wird im Gefängnis sein. Die Verantwortung für die beiden kleinen Geschwister bleibt dem Jungen, der mit rührender Sorgfalt für sie sorgt, der tapfer das Leben in die Hand genommen hat, dessen Kraft aber zu schwach ist. Er ist noch zu jung, zu unerfahren, körperlich unterentwickelt, von Hunger und Sorge geschwächt. Und doch denkt er kaum an sich, er handelt aus Verantwortung für die Kleinen, denen er gern eine Freude machen, Schokolade kaufen möchte. Für sie wagt er alles. Der Krieg ist für dieses verlassene Kind nicht zu Ende, wie ein erfahrener Landser sucht er Deckung vor dem Feuer aus den Maschinenpistolen der Bewachungsmannschaft. Ein Gefühl dafür, daß er Unrecht tut, kennt er nicht. Wenn es einmal derartiges gab, ist es von Hunger und Not erstickt. Er kennt nur das Gesetz des Überlebens, den harten Zwang, Brot und Kartoffeln zu schaffen für sich und besonders die Kleinen, die noch nicht für sich sorgen können. Er ist selbst noch Kind, aber es ist nichts mehr kindlich an ihm. Die Not hat ihn reifer gemacht, als seinen Jahren entspricht. In einem ergreifenden Bild wird das ausgedrückt. Das kleine Mädchen, das starb, war häßlich, aber im Tode ist es hübsch, ein unschuldiges Engelchen. Der tote Junge aber sieht „schmal und alt, erschreckend gelb" aus. Seine Hände jedoch sind „zum Greifen gespreizt", als müsse er noch nehmen, greifen, beschaffen, damit er und die Kleinen leben. Auch Grini stirbt als Opfer des Krieges, der Heim und Familie zerstörte, Kinder verlassen und hilflos zurückließ. Der Junge wollte das Leben meistern mit den Mitteln, die ihm offenstanden, er fiel in diesem harten Kampf um die Wahrung der nackten Existenz. Tiefe Trostlosigkeit steht hinter dem Ende dieses früh verbrauchten, im Lebenskampf aufgeriebenen Kindes. Sprache und Inhalt sind in diesem Kunstwerk völlig eins. Der direkte und indirekte Dialog gibt die Ausdrucksweise des Sprechers wieder. Der Arzt redet noch, wie man es beim Militär tut, kurz, manchmal aus Hilflosigkeit schneidig, bei Schwerverletzten im „guten-Onkel-Doktor-Ton": „Still, ruhig, ruhig, wird nicht so schlimm sein ..." Der verwundete Junge braucht die verwahrloste Ausdrucksweise von Front und Schwarzmarkt, die er auch nicht los wird, wenn er mit Höhergestellten spricht. Sobald aber seine Fieberphantasien einsetzen, wird die Rede gehetzt, die Gedanken und Vorstellungen überschneiden, überlagern einander, ohne daß der Jargon aufgegeben würde. Die Nonne wird nie ganz frei von ihren geistlichen Gewohnheiten. Auch hier ist, wie meistens in zeitgenössischer Epik, der Dialog auf das sachlich Notwendige beschränkt, die Entwicklung vollzieht sich im Monolog, dessen Teile durch einen sachlichen Krankenbericht verbunden werden. Am Ende steht wieder die Ausweglosigkeit. Die Taufe wird nicht vollendet, das gute menschliche Wollen bleibt unvollkommen in einer Zeit der Unvollkommenheit, der Not und Bedrängnis. Und wieder bleibt die anklagende Frage: wer hat den vorzeitigen Tod dieses sicher aus der Geborgenheit einer geordneten Familie kommenden Jungen, der so tapfer und liebevoll die Fürsorge für seine kleinen Geschwister auf seine allzu schwachen Schultern lud, verursacht, wer trägt die Schuld dafür, daß Menschen entwurzelt und in die Fallstricke des Verhängnisses getrieben wurden? Die Antwort gibt Böll in seiner Erzählung.

Ilse Aichinger

DAS PLAKAT

Biographische Daten: Ilse Aichinger ist am 1. November 1921 in Wien geboren. Sie besuchte dort das Gymnasium und studierte einige Semester Medizin, widmete sich dann aber der Schriftstellerei. Seit 1953 ist sie mit dem Lyriker Günter Eich verheiratet. Sie lebt in Lenggries, Oberbayern. Die Erzählung „Das Plakat“ stammt aus dem Bande: „Der Gefesselte“ (1953).

Für das Begreifen Ilse Aichingers ist nichts damit gewonnen, daß der Inhalt ihrer Erzählung wiedergegeben wird. Sie läßt sich im landläufigen Sinne nicht verstehen. Traumhafte Vorstellungen und Erlebnisse verbinden sich mit einer realistischen Szenerie, lebendig gewordene Unwirklichkeit mit schicksalhaftem Geschehen. Die Gestalten bleiben, bis auf wenige in einem gleißenden, aber gerade deshalb die Konturen verwischenden Licht. Alles ist da, der Junge wie das Mädchen, aber eins ist Plakatbild, sehr schablonenhaftes Bild, das andere ein Menschenkind. Das Unwirkliche gewinnt Leben, das heißt: Träume, Gedanken, Vorstellungen und Vorstellungsmöglichkeiten, über das Wirkliche hinausgreifende Phantasien treten nebeneinander, durchdringen sich und gewinnen ein geheimes, aber dennoch reales Leben. Dieses Leben hat seine Einheit im Erzähler, es spiegelt seine Vorstellungen, seine Beobachtungen und sein Erleben, aber dieses Erleben macht Dinge zum Sprecher des Inneren, die an sich tot sind. Darum ist Ilse Aichingers Erzählung keinesfalls dem Surrealismus zuzuzählen. Nichts darin ist aber auch kafkaesk, das heißt im letzten geheimnisvoll. Alles scheint schrecklich oder vertraut vordergründig. In der Einheit des ihr zugrundeliegenden Erlebnisses ist die Erzählung auf befremdende Weise, vielleicht auch ein wenig absurde Manier, realistisch.

Die Szene ist ein Vorortbahnhof, den eben der Stadtbahnzug verlassen hat. Über ihm liegt die Stille des Mittags, nur wenige Menschen sind auf der Szene: der Mann, der von der Leiter aus Plakate anklebt, die Frau mit dem Kind. Und da ist noch einer, die lebendigste von allen auftretenden Gestalten, das ist der Junge auf dem Plakat. Er wirbt für ein Seebad, als strahlender Jüngling steht er verzückt in „dem Streifen giftgrüner See". Es ist ein Plakat, wie es zu Dutzenden für Badeorte wirbt. Aber über der Szenerie liegt ein schwerer Himmel, blau und doch drohend, wörtlich: „blau und gewalttätig, im gleichen Maß bereit, zu schützen und einzustürzen." Die Ambivalenz alles menschlichen Geschehens ist mit wenigen Worten angedeutet: das Gleiche kann gut und böse, verderblich, ja tödlich und nützlich oder lebenssteigernd sein. Der Himmel, die Natur und der Mensch stehen in einer seltsamen Wechselbeziehung. „Du wirst nicht sterben", sagt der Plakatankleber auf der Leiter zu sich selbst, als er Blut in seinem Auswurf sieht. Aber von diesem Worte aus geht es wie ein Erschrecken durch seine ganze Umwelt: „Der Himmel darüber schien plötzlich vor Schreck erstarrt." Ein menschlicher Zug wird in das Plakatbild gedeutet. Viele Plakate hängen da neben dem Jungen, der für das Seebad wirbt, das Mädchen, das für einen Blumenladen, der Herr, der für ein Auto Reklame macht. Sie alle sind selbstgenügsam, sie wissen nicht mehr, als das, wofür sie werben, damit hat sich ihr Sein erfüllt. Der Junge aber wird in dichterischer Schau zur Verkörperung der Auflehnung. Er kann nur geradeaus starren auf die giftgrüne See zu seinen Füßen, er kann nicht schreien, sich nicht regen, aber er erkennt, daß seine Umwelt anders ist als sein Bild. Sehnsucht nach körperlicher Befreiung ergreift ihn. Der Mann mit der Leiter klebt weitere Plakate. Da waren auf der Wand schöne Frauen, die auf das große Erlebnis im Spiegelsaal eines Tanzlokals warten. Mit ihnen geschieht das Furchtbare: sie werden rücksichtslos überklebt, sie müssen es geschehen lassen und sind dann einfach nicht mehr da. Der Junge wollte schreien, aber wer kann das schon, wenn Schönes, Lebensfrohes, vielleicht auch nur Lebensgieriges verschwindet, überklebt wird. Eine tiefe Erkenntnis erwächst dem Jungen. „Du wirst nicht sterben", hatte der Mann gesagt, der ihn anklebte. Dieses Wort, das in einem Anfall von Verbitterung, aus Haß gegen die glatten Gesichter, die er ankleben muß, aus spontaner Angst wegen des Hustens, der ihn von Zeit zu Zeit erschüttert, gesprochen wurde, und das der Mann bald vergessen hat, haftet in dem Jungen. Er weiß nicht was Sterben ist, er bleibt Bild auf dem

Plakat, aber er denkt und fühlt aus seiner Gegenwart. In ihm festigt sich die Überzeugung, daß man sterben können muß, um wahrhaft zu leben. Man muß sterben können, um nicht einfach überklebt zu werden wie die schönen Frauen.
Das Kind auf dem Bahnhof hat den Jungen entdeckt, während die Mutter in ein Gespräch mit drei hinzukommenden Mädchen und dem Mann auf der Leiter vertieft ist. Ein geheimes, für den festgebannten Jungen qualvolles Spiel zwischen den beiden entwickelt sich. Das Kind lockt, es will mit ihm spielen, alles drängt ihn, zu ihm herabzuspringen. Aber er kann nicht, er muß bleiben, wie er ist, mit aufgehobenen Armen lachend der See entgegenlaufen. Das Kind tänzelt an der Bahnsteigkante, hebt den Fuß über die Tiefe, ruft den Jungen, den es anlächelt. Aber der Junge bleibt gebannt. Da wird das Kind zornig und springt im Tanzschritt auf die Schienen herab gerade in dem Augenblick, in dem der Zug heranbraust und dem Kind den Anblick des Jungen verdeckt.
Im gleichen Augenblick spürt der Junge die Kühle der See zu seinen Füßen. Das Plakat ist schlecht angeklebt, der plötzlich aufkommende Wind hat es abgerissen. Der Junge hört nicht das Schreien der Menschen, das grelle Hupen des Rettungswagens. Er ist beweglich geworden, die Erstarrung hat sich gelöst. Wie ein Glücksgefühl erfaßt ihn das Bewußtsein: „Ich sterbe, ich kann sterben!" Noch einmal stockt er vor dem Schild: „Das Betreten der Schienen ist verboten." Aber dann treibt es ihn weiter. Vergeblich versucht er, auf die Gleise hinabzuspringen. Da erfaßt ihn ein Windstoß und schleudert ihn hinab. Der einfahrende Gegenzug erfaßt das Plakat und zerfetzt es. Bald ist die Szene wieder still, kein Mensch ist zu sehen. Zwischen den Schienen der Gegenstrecke leuchtet ein heller Flecken Sand, „als hätte es ihn vom Meer herübergeweht."
Das wird in einer realistischen, sachlichen Sprache erzählt. Ilse Aichinger bildet durchweg kurze, übersichtliche Sätze. Ihre Erzählweise gleicht einer Konversation, einem gesprochenen Bericht. Je dramatischer das Geschehen wird, umso kürzer werden die Sätze, die Sprache gewinnt atemlose Spannung. Die referierende Darstellung wird immer unterbrochen durch Selbstbetrachtung. Dabei tritt zuerst die Erklärung neben das Selbstgespräch, das auf dem Höhepunkt des Geschehens beherrschend wird und sich mit der

Frage oder Fragenkette verbindet. Die Wirklichkeit ist nicht aufgehoben, aber so verfremdet und abgründig, daß die Existenz in ihr fragwürdig wird. Spiel und Tragik treten eng verknüpft und doch beziehungslos nebeneinander. Auch das drückt die Sprache aus. Der Mensch will das Wagnis, er erkennt seine Gefahren nicht, nur Verbote schützen ihn: „Wie sollte er mit dem Mädchen tanzen, wenn das Betreten der Schienen verboten war?" Die Sehnsucht des Menschen, seine geheimen und offenen Wünsche erfüllen sich erst im traumhaften Erlebnis im Angesicht des Todes. Das ist ein Stück Wirklichkeit, gelebtes Leben.

So zwanglos der Erzählton ist, die Kurzgeschichte ist kunstvoll aufgebaut. Die Szenerie wird in ruhiger Beschaulichkeit geschildert. Aber in die Beschaulichkeit bricht momentan, ohne sie aufzuheben, das geheimnisvoll Schicksalhafte ein, wenn der Himmel gewalttätig über dem sonnenflirrenden Bahnhof steht, wenn er vor Schreck fast erstarrt. Dann treten nebeneinander der Junge und das Mädchen auf, sie finden noch keine Gemeinschaft. Der Junge sucht den Partner, der ihm hilft, sich zurechtzufinden in dieser Umwelt, die einfach genug und doch unwirklich in diesem gleißenden Mittagslicht und dieser Stille ist. Breit wird dieses Hineintasten in die Welt gestaltet, es beginnt mit Beobachtungen und mündet in Gedanken. Der Junge ist festgehalten in der Mitte des Tages, strahlend lachend, jung und schön. Aber er lehnt sich auf, er sucht das Leben und findet seinen Sinn nur im Sterben.

In der Mitte der Erzählung etwa wird aus dem bisherigen Monolog des Jungen, der meist indirekter Monolog in der Wiedergabe seiner Gedanken ist, der Dialog zwischen dem Kind, dessen Schicksal sich geheimnisvoll, scheinbar völlig sinnlos mit seinem verbindet, und dem Jungen. Es kommt zu keinem echten Gespräch, beide sprechen für sich und nicht für den anderen. So besteht die direkte Rede, die nur selten angewandt wird, aus knapper Frage, aus einzelnen Ausrufen und endet in der befreienden Erkenntnis: „Ich sterbe, ich kann sterben!"

Es trägt nicht zur Deutung der Erzählung bei, wenn geheimnisvolle Hintergründe aufgesucht werden. Nicht düsteres Verhängnis, sondern die Tragik des Zufalls, des alltäglichen Unfalles, für den niemand verantwortlich gemacht werden kann, ist am Werk. So fremd und bodenlos die kleine Welt des stillen Bahnhofes ist, alles bleibt vordergründig, ein Stück alltäglicher Wirklichkeit, in der sich der Mensch einrichten möchte, und die ihm doch entgegen steht. Schuld hat keiner, niemand ist verantwortlich. Alle Schuld wird abgewälzt auf technisches Menschenwerk: „Schuld an dem ganzen Unglück waren die Züge, die um diese Zeit so selten fuhren, als verwechselten sie Mittag und Mitternacht. Sie machten die Kinder ungeduldig." Der Mensch hat seine Umwelt geschaffen, geordnet, geregelt, er dirigiert sie wie lebendige Wesen. Aber er beherrscht sie nicht, sie zwingt ihn in ihren Bann, mag es durch die Macht der Reklame, mag es durch die Allgewalt der Technik sein. Er möchte ihr selbstherrlich entgegentreten, sein individuelles Wollen und Leben gegen sie durchsetzen. Aber er wird ihr Objekt. Das ist die tragische Gegenwartssituation, die im traumhaften und doch realen Erlebnis angesichts der letzten Dinge, des Todes blitzartig deutlich werden kann, um nur allzu bald wieder vergessen zu sein.

Siegfried Lenz

JÄGER DES SPOTTES

Biographische Daten: Siegfried Lenz ist am 17. Mai 1926 in Lyck in Ostpreußen geboren. Das Kriegsende verschlug ihn mit 19 Jahren nach Hamburg. Er studierte dort Philosophie, Literaturgeschichte und Slawistik. Einige Jahre war er Feuilleton-Redakteur an der Tageszeitung „Die Welt“. Dann ließ er sich als freier Schriftsteller in Hamburg nieder. Sein erster schriftstellerischer Erfolg war der Roman „Es waren Habichte in der Luft“ (1951). Es folgte 1953 „Duell mit dem Schatten“. 1955 erschien der Erzählungsband „So zärtlich wie Suleyka“, 1956 brachte Lenz seinen dritten Roman „Der Mann im Strom“ heraus. 1958 veröffentlichte er einen Band Kurzgeschichten, der den Titel einer von ihnen trägt: „Jäger des Spottes“. Der 1959 erschienene Roman „Brot und Spiele“ gilt als der erste deutsche Sportroman von künstlerischem Rang. Es folgten die Erzählungen „Das Feuerschiff“ (1960), das preisgekrönte Drama „Die Zeit der Schuldlosen (1962) und der Roman „Stadtgespräch“ (1963).

„Geschichten aus unserer Zeit“ heißt der Untertitel der Sammlung, in der die Kurzgeschichte „Jäger des Spottes“ steht. Das arktische Milieu, in dem das Geschehen dieser Erzählung spielt, das Geschehen selbst erscheint uns fern, es hat den Zauber des Abenteuerlichen, des urweltlichen Jägertums, und Lenz tut alles, dieses Abenteuerliche und Urweltliche des wagemutigen Handelns des Helden der Erzählung hervorzuheben. Es ist zuerst eine Geschichte vom Kampf des einsamen Jägers, der nahe den arktischen Gletschern allein den Kampf mit den starken Moschusochsen und dann unfreiwillig mit den Eisbären auf sich nimmt. Aber dieser Jäger scheitert, er hat Erfolg und verliert doch ohne eigenes Verschulden. Was er errang, geht sinnlos verloren. Es gibt etwas außer ihm, das immer stärker ist als er, wie ein Verhängnis liegt es über ihm. So wurde Atoq zum Jäger des Spottes. Eskimos sind sehr lustig, sie lachen gern, besonders gern aber auch nach Art kleiner Kinder über das Unglück, genauer über das Pech, das Versagen des anderen. Und sie singen gern, besonders auch Spottlieder. Atoq, der vom Mißerfolg heimgesuchte Jäger wird in fast jedem Spottlied erwähnt, es sind fast hundert solcher Lieder. Seine Fleischgestelle sind leer. Als sein Vater noch lebte, waren sie voll, er war ein großer Jäger. Atoq aber ist der schlechteste Jäger von Gumber-Land, die Zielscheibe des allgemeinen Spottes. Er erfüllt alle Voraussetzungen für einen guten Jäger, er hat Mut und Ausdauer, ein gutes Auge und eine sichere Hand. Er ist mit den Gewohnheiten der Jagdtiere vertraut, auf vielen Gängen mit dem Vater hat er genügend Erfahrung sammeln können. Aber immer verfolgt ihn auf der Jagd das Mißgeschick, das Pech.

Atoq ist heimlich allein zur Jagd aufgebrochen. Er erträgt den Spott der anderen nicht mehr, er will durch die einsame Jagd erzwingen, daß sein Name aus den Spottliedern verschwindet. Unentdeckt kommt er aus dem Dorf, da der Wind gut ist, bleibt er auch von den Hunden, die er zurückläßt, unbemerkt. Sein Ziel ist das alte Jägerversteck seines Vaters bei einem Tal in den Bergen nahe den Gletschern, wo die großen Moschusochsen äsen. Während er mit dem Schlitten voller Zuversicht über das weite, tote Land fährt, überlegt er genau die ihm bevorstehende Jagd. Sein Vater hatte nur den Bogen, er hat eine großkalibrige Flinte. Aber auch den Bogen des Vaters und die Harpune mit der Leine hat er mitgenommen. Er wird erst heimkehren, wenn er Fleisch genug hat, die Gestelle vor seiner Hütte zu füllen. Als er bei Tagesende die verfallene Jagdhütte des Vaters erreicht hat, bessert er sie notdürftig aus, um die Nacht geschützt darin zu verbringen. Früh am Morgen aber hält ihn nichts mehr, die große Unruhe des Jägers ist über ihn gekommen. Vergeblich sucht er den halben Tag lang die Tiere, erst am Nachmittag findet er sie. Aufkommender Nebel hat die Sicht verschlechtert. Vorsichtig folgt Atoq den Tieren, bis er glaubt, die richtige Gelegenheit zum Schuß zu haben. Der Schuß geht fehl. Wütend greifen die Moschusochsen an. Der zweite Schuß aber trifft genau. Blitzschnell weicht er dann den angreifenden Tieren aus. Atoq ist mit sich zufrieden, er hat es gut gemacht, er lacht das einsame Lachen des großen Jägers, seines Vaters. Aber die Tiere greifen erneut an, Atoq muß sich auf den Felsen retten. Dabei

verliert er die Flinte, die der alte Bulle in seinem Zorn mit den Hörnern gegen den Felsen wirft und zertrampelt. Der Jäger greift zum Bogen. Ein erster Pfeil trifft eine Rippe, ein zweiter aber dringt tief in die Brust des Bullen ein. Er stürzt jedoch nicht, er zieht sich zu den übrigen Tieren zurück, die auf der anderen Seite des Felsens stehen. Trotz aller Gefahr gelingt es Atoq, die Flinte zu holen, aber sie ist unbrauchbar geworden. Nun weiß Atoq, daß er geschlagen ist, er hat den Spott nicht hinter sich gelassen.
Aber er gibt nicht auf. Er hat noch den Bogen und die Harpune. Bei einem erneuten Angriff der Tiere trifft er den Bullen mit der Harpune, nun kann er ihn mit dem Pfeil erlegen. Als das tote Tier vor ihm liegt, erkennt Atoq, daß es das größte und stärkste Tier ist, das sie alle kennen, das schon mehrere von ihnen getötet hat und von dem sie nur mit schaudernder Ehrfurcht sprechen. Trotz aller Erschöpfung durch den Kampf macht sich Atoq an die Arbeit. Er bringt das Fleisch in die Hütte, deckt es mit Steinplatten zu und sichert die Hütte noch sorgfältiger. Zuletzt bringt er die mächtigen spitzen Hörner des Bullen in die Hütte. Wenn die anderen sie sehen, müssen sie seinen Namen aus ihren Spottliedern tilgen, er hat sie widerlegt. In der Nacht kann er nicht schlafen, die Erregung der Jagd ist noch in ihm. Plötzlich hört er Schritte, dann Rollen und Kratzen. Eisbären haben sein Fleisch gewittert und sich der Hütte genähert. Sie ist nur notdürftig ausgebessert und bietet keine genügend Sicherheit gegen sie. Sie holen Fleischstücke heraus und fressen sie. Er versucht, sie durch einen Pfeilschuß auf das Muttertier zu vertreiben. Aber es gelingt ihm nicht. Erst ein verzweifelter Angriff mit einer brennenden Fackel vertreibt die Bärin, aber die anderen Bären bleiben. Beim Schein der Fackel sieht Atoq, wie sie die letzten Fleischstücke davontragen: „Er empfand bereits die Lähmung des Spottes, das unauslöschliche Urteil, das zu tilgen ihm nicht gelungen war, und er brach neben dem Eingang zusammen."
Als er erwacht, herrscht dumpfes, totes Licht. Gleichgültig blickt Atoq über den Rest des Fleisches, den die Bären übriggelassen haben. Er holt den Schlitten, lädt die unbrauchbar gewordene Flinte, den Bogen, die zersplitterte Harpune und zuletzt die Hörner des alten Bullen auf. Schweigend und ohne Trauer fährt er, der

Jäger des Unglückes, heim. Er hat den Spott nicht widerlegt, seine Fleischgestelle bleiben leer. Sie werden ihn mit Spott empfangen, aber er muß auf eine neue Chance warten. Als er sich dem Dorf nähert, sieht er sie alle schon von weitem am Eingang stehen. Er bremst nicht die Fahrt, er fährt mitten durch ihr Spalier, der besiegte Jäger. Aber die ihn empfangen und auf seinen Schlitten sehen, sprechen nicht, sie schweigen.
Das Motiv dieser Kurzgeschichte erinnert an Ernst Hemingways „Der alte Mann und das Meer". Der alte Mann fängt den größten Fisch seines Lebens, aber er ist allein, er kann ihn nicht gegen die Haie verteidigen und bringt nur das riesige Skelett heim. Lenz aber hat dieses Motiv zugespitzt. Für Atoq geht es nicht so sehr um die große Jagdbeute, er will seine Jägerehre wiederherstellen, den Spott über sein Mißgeschick widerlegen. Den Jagderfolg erreicht er unter widrigsten Umständen. Aber er ist allein, nicht mächtig genug, die Jagdbeute gegen die Eisbären zu verteidigen. Die übermächtige Natur prellt ihn um seine Beute. Er ist besiegt. Der einzelne ist nicht stark genug, seinen Erfolg zu sichern. Atoq wollte das Unmögliche. Darum ist er besiegt. Sein Unglück ist die Vereinsamung, die Vereinzelung, in die ihn der Spott der anderen stieß. Er stand nicht nur gegen die gefährlichen Tiere, er stand gegen die anderen, die ihn mit ihrem Spott quälten. Sie wollte er aus eigener Kraft widerlegen. Aber es gelang ihm nur, so weit Mut und jägerisches Können gefordert waren, als sich die Umwelt tödlich bedrohend zeigte. Das machte ihn zum Jäger des Unglücks, die freiwillig gewählte Vereinzelung, die Flucht vor der unbarmherzig spottlustigen Umwelt. Dieses Mal aber vollzieht sich seine Heimkehr anders, als er erwartete. Er erwartete lauten Spott. Aber die Jagdtrophäe auf seinem Schlitten spricht, sie zeugt von der Gefahr, der er sich allein aussetzte. Das Wunder geschieht, niemand spricht, alle schweigen. Der Dichter spricht nicht aus, was hinter diesem Schweigen steht, Achtung, Mitleid, Bewunderung oder auch nur Verwunderung. Eines aber bleibt sicher: Atoq, der Jäger des Unglücks, der Besiegte, hat eine Bresche geschlagen in die Mauer des Spottes, die ihn von den anderen trennte. Man öffnet ihm einen Weg. Ob er ihn gehen wird, bleibt unausgesprochen. Damit aber schließt sich der Ring zum Untertitel der Erzählung, sie ist eine

„Geschichte unserer Zeit". Entfernungen, Rassen- und Völkergrenzen verwischen sich Unsere Zeit hat die Grenzen zwischen vielen Völkern geöffnet, aber dieser Weltoffenheit steht die fortschreitende Isolierung des Individuums gegenüber, eine bedenkliche Erscheinung, die aber bei einer bewußten Stärkung humaner statt primitiver Gedanken leicht zu beseitigen wäre. Vielleicht muß man wie diese Eskimos lernen, daß Erfolg und Ergebnis nicht immer dasselbe sind, daß vielleicht der Besiegte der stärkere Jäger ist, daß menschliche Achtung auch dem Unterlegenen gilt.

Wolfgang Borchert

BIOGRAPHISCHE DATEN

Wolfgang Borchert ist am 20. Mai 1921 in Hamburg geboren. Nach dem Besuch der Oberschule machte er eine Lehre als Buchhändler durch, wandte sich dann aber dem Schauspielerberuf zu und war eine Zeitlang an der Landesbühne Osthannover in Lüneburg tätig. Als Soldat wurde er wegen einer Verwundung, die als Selbstverstümmelung angesehen werden konnte, vor ein Kriegsgericht gestellt. Aber nach drei Monaten Untersuchungshaft, in denen er ständig unter dem Druck der für solche Vergehen angedrohten Todesstrafe stand, wurde er freigesprochen. Nur wegen „staatsgefährdender Äußerungen" wurde er zu einer Gefängnisstrafe verurteilt, die aber in Frontbewährung umgewandelt wurde. Bei der Truppe erkrankte er so schwer, daß er in ein Heimatlazarett gebracht wurde. Im August 1942 hatte er einen längeren Heimaturlaub und trat in einem Hamburger Kabarett auf. Als er wieder bei der Truppe in der Heimatgarnison Jena war, verschlimmerte sich seine Krankheit, er sollte entlassen werden. Da denunzierten ihn Kameraden wegen politischer Witze, er wurde erneut verhaftet. Neun Monate mußte er auf seinen Prozeß warten.

Das Urteil lautete auf neun Monate Gefängnis, wieder gab es „Strafaufschub zwecks Feindbewährung". Dazu kam es nicht mehr. Bei Kriegsende schlug sich Borchert unter schwersten Strapazen nach Hamburg durch. Wieder kam er zum Theater, bis die Krankheit ihn hinderte. Nun entfaltete er fieberhaft schriftstellerische Tätigkeit. Freunde vermittelten ihm einen Kuraufenthalt in der Schweiz. Aber es war zu spät. Er starb am 20. November 1947 in Basel, einen Tag vor der Uraufführung seiner dramatischen Szenen „Draußen vor der Tür." (Vergleiche Band 299 der Dr. Wilhelm Königs Erläuterungen).

„DIE LANGE, LANGE STRASSE LANG.."

Sie gehört zu den letzten Kurzgeschichten Borcherts, die erst nach seinem Tode veröffentlicht wurden. Sie ist — genau genommen — keine Erzählung mehr, ihr fehlt die einmalige Begebenheit, die berichtet und künstlerisch ausgewertet wird. Ihr Inhalt ist die unbewältigte Vergangenheit wie in „Draußen vor der Tür". Aber alles gegenständlich Faßbare löst sich auf, die Gestalten werden gespenstisch unwirklich, doch sie bleiben in schrecklicher Weise lebendig. Die lange, lange Straße ist der Versuch einerseits, in die Realität des Lebens zurückzufinden, aber sie ist auch, da diese Möglichkeit von vornherein geleugnet wird, der Weg in die Ausweglosigkeit. Herr Fischer oder Leutnant Fischer, die in sich gespaltene Persönlichkeit stehen einander im Wege. Leutnant Fischer kommandiert und Herr Fischer, der nichts anderes gelernt hat, marschiert die Straße entlang: „Links zwei drei vier links zwei drei vier links zwei weiter Fischer! drei vier links zwei vorwärts Fischer! schneidig Fischer! drei vier atme, Fischer! immer weiter zickezacke zwei drei vier schneidig ist die Infanterie . .". Auch die Sprache löst sich auf, Worte rücken beziehungslos und ohne Interpunktion nebeneinander. Fischer ist unterwegs, er hat schon zweimal gelegen, weil er Hunger hat, aber er muß zur Straßenbahn, die wie ein Sinnbild der Sicherheit erscheint in dieser Wirrnis aus Trümmern, Trümmern

von Häusern, Gedanken und Erinnerungen, die sich nicht ordnen und zusammenfassen lassen.
Bilder konkretisieren sich: „57 haben sie bei Woronesch begraben, 57, die hatten keine Ahnung, vorher und hinterher nicht." Das Rumpeln der Lastwagen mit leeren Mülltonnen auf dem Kopfsteinpflaster wird zum Rumpeln der Stalin-Orgeln. Fischer weiß genau, was sie waren: „9 Autoschlosser, 2 Gärtner . . .", sie waren 57, nur einen haben sie vergessen, Herrn Fischer, Leutnant Fischer, dessen Nächte voll angstvoller Bilder sind, der allein, völlig allein und umgeben von schwarzen Mauern, von Toten und Verlassenen ist, unter dem der Boden wankt, zu wanken scheint. Jemand sagte zu ihm: „Guten Tag, Herr Fischer." Aber Herr Fischer ist Leutnant Fischer, für ihn gibt es keinen guten Tag mehr, das hat der andere nicht gewußt. Überhaupt weiß niemand etwas vom anderen. Er will zur Straßenbahn, die so wunderhübsch gelb ist in all dem Grau. Leutnant Fischer kommandiert sich die lange, graue Straße entlang, die ihm zur „Mülleimerallee, zum Aschkastenspalier, zum Rinnsteinglacis, zur Champs-Ruinées, zum Muttschuttschlaginduttbroadway, zur Trümmerparade" wird. Er ist in sich gespalten, der eine hat Hunger, er sucht Suppe, der andere kommandiert: „Juppheidi, die Infanterie." Erinnerungen jagen sich, da ist der alte Mann, der vom offenen Wagen fiel, den niemand geschubst hat. Es geschah so vieles und der einzelne war machtlos. Ein Junge holt Nägel für drei beim Schmied, der ihn fragt: „Ist der, der von sich sagt, er sei Gottes Sohn, auch dabei?" Der Junge nickt und läuft weg damit; der Schmied hämmert weiter, sein Pink Pank wird zum Dröhnen der Kanonen Und da sind wieder die 57. Sie gehen nachts zum Ortsvorsteher und fragen: warum? Aber er weiß keine Antwort und friert. Sie gehen zum Pfarrer, zum Schulmeister, zum Minister. Der sagt hinter seinem Sektkorb „Deutschland, Kameraden, Deutschland, darum!" Und nun wissen sie nichts, sie gehen still nach Woronesch und legen sich ins Grab. Aber sie fragen immer wieder: „Darum? Darum?"
Einer nur ist über, Herr Fischer, er findet den Weg nicht, so schneidig auch Leutnant Fischer kommandiert: „Links zwei drei vier." Die Bilder werden reger, lösen sich aus allen Zusammenhängen, schließlich stehen nur Worte aneinandergereiht wie in dadaistischer

Dichtung: „Wand Wand Wand Stein Hund hebt Bein Baum Seele Hundetraum Auto hupt noch Hund pupt noch das Pflaster rot Hund tot ... Wand Wand die lange Straße lang ..." Skatspieler tauchen auf, vor hundert Jahren spielten sie, witzeln mit abgedroschenen Spielerphrasen, aber wenn ihre Fäuste auf den Tisch donnern, sind es die Kanonen von Woronesch. Eine Mutter hat drei Bilder vor sich, links das ihres Mannes, rechts das ihres Sohnes, in der Mitte steht der General. „Für Deutschland", schrieb der General 1917, „für Deutschland" schrieb er 1940. Mehr liest die Mutter nicht. Ihre Augen sind rot. Aber Herr Fischer ist über, noch unterwegs zur Straßenbahn. An einer dunklen Ecke verkauft ein Mann Pyramidon. 20 Tabletten genügen, sein Geschäft geht gut. In einer Stube sitzt ein Mann und schreibt an einem Gedicht über eine blaue Blume. Aber er findet keinen Reim, streicht immer wieder durch, was er niederschrieb, er geht ruhelos auf und ab, es gibt keinen Vers mehr darauf. Die Erde war grau bei Woronesch. Der Obergefreite mit der Krücke schwelgt freilich in der Erinnerung, daß sie einmal mit einem einzigen Maschinengewehr 86 Iwans schafften. Als er, um zu zeigen, wie sie schossen, die Krücke anlegt, trifft er 86 alte Frauen, aber sie wohnen in Rußland, und er weiß nichts von ihnen. Nur Leutnant Fischer weiß es, er ist noch unterwegs. Eine Lebensversicherung wirbt. Die 57 bei Woronesch, die 86 Iwans hatten ihr Leben nicht versichert. Nun sieht Leutnant Fischer überall rotgeweinte Mutteraugen. Das düstere Bild weicht, Evelyn steht da und singt, ein schönes verführerisches Mädchen, aber sie singt das Ende, den Weltuntergang. Sie singt: „Komm, lieber Mai, und mache die Gräber wieder grün". Und dann ist Evelyn nicht mehr da, ein dickes Mädchen steht da und muß zählen, obwohl niemand außer ihm da ist, und plötzlich ist auch von ihm nichts mehr da.

Fußballplatz und Konzerthalle liegen nebeneinander. Da schreien sie: „Tor!" In dem großen Haus sitzen sie sauber gewaschen in sauberen Hemden. Sie wissen nicht, daß da einer ist, der Hunger hat, sie lassen sich erschüttern von der Matthäus-Passion. Wenn der große Chor „Barrabas" schreit, so ist das, wie wenn sie auf der anderen Seite „Tor" schreien. Mehr denken sie dabei nicht. Ein Leierkastenmann singt von „Freut euch". Leutnant Fischer schreit gegen ihn an, er ist 25 und 57 haben sie bei Woronesch begraben.

Er hat Hunger, aber die bunten Hampelmänner am Leierkasten schaukeln vergnügt. Da ist auch ein Mann in einem weißen Kittel. Er erfindet ein Pulver, von dem ein Löffel genügt, um 100 Millionen Menschen umzubringen. Zwischendurch begießt er liebevoll seine Blumen. Der Leierkastenmann aber singt: „Freut euch doch so lange noch ..." Leutnant Fischer zerbricht die Hampelmänner, aber er hat nichts gewonnen. Er will dem fürchterlichen Leierkastenmann ins Gesicht schlagen, aber es geht nicht und der Mann lacht nur fürchterlich. Ein Mensch läuft durch die Straßen, aber er weiß nicht das Ziel. 57 marschieren mit, an ihrer Spitze Leutnant Fischer, der über ist. Der Schwarzhändler bietet Matthäus-Passion oder Pyramidon, er vereinnahmt dafür 57 Mann. Die Straßenbahn kommt. Aber wohin sie fährt, weiß keiner. Alle fahren mit, keiner weiß, ob der Schaffner ein guter oder ein böser ist, und keiner weiß: wohin?
Diese Kurzgeschichte ist auch im Schaffen Borcherts einmalig. Gewiß wendet Borchert auch in anderen Kurzgeschichten die Technik der Wiederholung an. Hier aber herrscht sie als Spiel, alles wird Spiel mit der Sprache. Alles ist Ironie, Parodie, ernstgemeint und unernst berichtet. An den lieben Gott in „Draußen vor der Tür" erinnert das kleine Mädchen, das Hunger hat, dem der liebe Gott aber keine Suppe geben kann, weil er keinen Löffel hat. Manches könnte als Entwurf zu dramatischen Szenen aufgefaßt werden. Aber dann wird der Erzählstil dadaistisch, sinnlos sind Worte aneinandergereiht: „Wand Fenster Fenster Fenster Lampe Leute Licht Mauer immer noch Männer blanke Gesichter wie Nägel so blank so wunderhübsch blank ..." In dieser Kurzgeschichte wird die Wiederholung zum beherrschenden künstlerischen Mittel, man ist versucht, zu sagen: zur Manier. Aber das wäre wohl nur begrenzt richtig. Diese Zerstückelung der Rede, die Auflösung der Sprache, ihre Zertrümmerung entspricht der dargestellten Welt, in der die Toten lebendiger sind als die Lebenden. Es ist grausig unter allen Trümmern, zwischen den Gräbern, alles Überkommene verkehrt sich, was wahr war, ist nicht mehr wahr, was heilig gehalten wurde, ist profan, wenn nicht ordinär geworden. Es gibt nicht genug Worte, das Neue, das nicht faßbar ist, zu sagen. Die Kurzgeschichte ist nicht Anklage, sie stellt nur fest. Wo sie aber feststellt, gerät sie an ein Chaos, in dem der Mensch vergeblich Halt und Orientie-

rung sucht. Auch hier erzählt Borchert sein eigenes Erleben, das Ergebnis eines sinnlosen Krieges, der Sieger und Besiegte schlug, der überall nur Trümmer hinterläßt, eine scheinbar geordnete Welt vernichtet, aber nichts an ihre Stelle zu setzen hat. Die angewandten Kunstmittel von der Alliteration — „Die lange, lange Straße lang" — bis zum dadaistischen Stammeln sind Ausdruck dieser zerschlagenen Welt, aus der noch kein Weg sichtbar wird, in der die Menschen gehen, ohne zu wissen wohin, wozu, in der sie sich selbst nur wie einen Fremden sehen.

LESEBUCHGESCHICHTEN

Es sind zehn kurze, naiv erzählte Geschichten, die um den Krieg und seine Folgen gehen. Bewußt sind die Gegenstände und Begründungen vereinfacht, scheinbar kindlich gefaßt, um eindrucksvoller die Sinnlosigkeit des Krieges, den Verlust menschlichen Denkens und Fühlens, die Abwertung menschlicher Werte zu demonstrieren. Auf sehr einfache Gründe wird die Ursache des Krieges zurückgeführt: die Habgier derer, die am Krieg verdienen können, die Dummheit und Gefühlskälte derer, die aus dem Kriege ihr Handwerk machen, die Schwätzer, die immer noch in souveräner Unkenntnis der Wahrheit im Kriege eine Gelegenheit männlicher Bewährung und heldischer Tugend preisen. Borchert läßt wie in Kindergeschichten typisch gehaltene Figuren auftreten, die in humorlos satirischer Zuspitzung die eine oder andere Einseitigkeit verkörpern, den Fabrikanten, den General, den Studienrat, den Freiwilligen, die Mutter. Es sind derbe Holzschnitte, die nur einen Typ, keinen Menschen erkennen lassen. Der Dialog ist sehr knapp, wo es militärisch zugeht, auch schneidig, auf Stichworte reduziert, aber gerade durch die Primitivität der Erzählung soll die Verfremdung erreicht werden, die zum eigenen Nach- und Weiterdenken anregt. Deshalb wird auch in jeder der Geschichten nur ein einziger Gesichtspunkt herausgegriffen, der stellvertretend für viele die Situation und ihre Gründe blitzartig beleuchten soll.

Verantwortlich am Kriege sind zunächst alle, die an ihm verdienen. Die erste und die dritte Geschichte handeln von ihnen. Die Vorstellung ist äußerst primitiv. Die steigende Produktion fordert stets neue Erfindungen. Eines Tages fällt dem Erfinder nichts ein, das der Menschheit nützlich sein könnte, da macht er Bomben. Der General ist nur logisch, wenn er als Ergänzung zur Bereitschaft, Bomben zu machen, auch deren Anwendung fordert, also den Krieg. Die dritte Geschichte erzählt in knappem Dialog davon, wie der Fabrikbesitzer am Kriege verdiente, wie der Gewinn ihm einen Luxus gestattet, der ihm im Frieden nicht zugänglich war. Die zweite Geschichte berichtet von dem merkwürdigen Widerspruch in der Seele des Erfinders. In aller Ruhe, ohne Bedenken und Hemmungen arbeitet er an einem Pulver, von dem ein halbes Gramm genügt, um in zwei Stunden tausend Menschen zu töten. In einer Arbeitspause pflegt er seine Blumen auf dem Fensterbrett. Als er sieht, daß eine davon eingegangen ist, wird er traurig und weint. In strichartigem Bild wird die verlogene Sentimentalität angeprangert, die über eine eingegangene Pflanze oder ein leidendes Tier bittere Tränen vergießt, gleichgültig aber am Schicksal von tausend Menschen vorbeigeht. Die Berufsroutine hindert den Erfinder, menschlichen Gefühlen Raum zu geben, er wird gedankenloser Fachmann und Funktionär der Macht.
Ein anderes Thema greift die vierte Geschichte auf: die Verlogenheit der patriotischen Phrase, die Erziehung der jungen Generation zur Heldenverehrung und Kriegsbegeisterung. Der Studienrat kommt von einer Entlassungsfeier für Jungen, die an die Front gehen, er hat ihnen eine erhebende Ansprache gehalten, den ganzen phrasenhaften Heldenkatalog von Sparta bis Langemarck beschworen, Clausewitz zitiert, Hölderlin mißbraucht. Die Jungen sangen: „Der Gott, der Eisen wachsen ließ“, es war ergreifend, ganz ergreifend. Während er davon auf der Kegelbahn erzählt, zeichnet er, wie er plötzlich erschrocken merkt, unbewußt lauter kleine Kreuze auf ein Blatt Papier. Seine Erschütterung hält indessen nicht lange an. Er lacht, schüttelt das Gefühl ab und beteiligt sich am Spiel. Die rollende Kugel aber verursacht ein leises Donnern, und die Kegel stürzen wie kleine Männer.
Die fünfte Geschichte demonstriert durch ein Gespräch zwischen

zwei Generalen die eiskalte Unbarmherzigkeit, mit der die Heerführer im Kriege über Menschenleben verfügen, wie sie mit Menschen kalkulieren und rechnen wie mit seelenlosen Dingen, wie alle Achtung vor dem Leben des anderen verloren geht. Vom Landserstandpunkt aus stellt die sechste Geschichte, ein Gespräch zwischen zwei Kriegsfreiwilligen, das gleiche Motiv dar. Von der siebten Geschichte an wird von den Folgen des Krieges berichtet, zunächst von der moralischen Zersetzung und Begriffsverwirrung. Der heimkehrende Soldat hat gelernt zu töten, er mußte es lernen, um sein eigenes Leben zu erhalten. Das war ehernes Gesetz des Krieges. Unverständlich bleibt dem Heimkehrer, warum dieses Gesetz nun nicht mehr gelten soll. Der andere hatte Brot, er hatte Hunger. Da erschlug er ihn. Hätte er lieber verhungern, sein Leben nicht mehr schützen sollen? Die achte Geschichte gehört der Mutter, die den von der Friedenskonferenz heimkehrenden Ministern, die sich an einer Schießbude vergnügen, das Gewehr wegnimmt und einen von ihnen, der es gebieterisch zurückfordert, ohrfeigt. Die beiden letzten Geschichten gestalten in sinnbildlichem Bericht die Sinnlosigkeit der menschlichen Feindschaften, der ewigen Kämpfe gegeneinander. Die neunte Geschichte spiegelt im Menschenleben die Menschheitsgeschichte. Immer vollkommener, immer verheerender werden die Mittel, mit denen sie einander umzubringen trachten. Als sie aber hundert Jahre tot sind, merkt ein Regenwurm, der sich durch ihre Gräber fraß, nicht, daß hier zwei verschiedene Menschen begraben waren. Es war alles dieselbe Erde. Die Reihe schließt mit einer parodierenden Vision aus dem Jahre 5000. Ein Maulwurf, der aus der Erde rausguckt, stellt beruhigt fest, daß die Natur sich nicht verändert hat, alles ist gleich geblieben, die Pflanzen und die Tiere, „und manchmal – manchmal trifft man einen Menschen"

Die Lesebuchgeschichten sind zunächst als Reaktion auf Kriegserlebnisse, auf den Widersinn des gegenseitigen Tötens und Zerstörens zu verstehen. Aber sie sind keine primitive Antikriegspropaganda, dann wären sie heute längst vergessen. Sie sind Dichtung, verfremdend und befremdend in der Einfachheit der Motive, aber hinter dem vordergründigen Appell an die menschliche Vernunft, der schon so oft ungehört verhallt ist, wie die neunte Geschichte auch hintergründig erzählt, steht ein starkes Gefühl der Menschlichkeit, des Mitfühlens und Mitleidens. Das offen auszusprechen, verbietet die historische Erfahrung, eine solche Stimme wird nicht gehört. Borchert aber wählt die scheinbar kindliche Darstellung, die satirische Parabel, das parodierende Beispiel, um Hintergründe aufzudecken, Gefühle zu wecken, und den Leser so zur Einsicht zu führen. Es ist nicht nachzuweisen, daß Borchert direkt von Kafka und Brecht beeinflußt war, die Lesebuchgeschichten erinnern an beide, die Form an Kafka, die Tendenz an Bert Brecht.

GENERATION OHNE ABSCHIED

Es handelt sich nicht mehr um eine echte Kurzgeschichte. Hier geht es wie in „Dann gibt es nur eines" und „Das ist unser Manifest" um die Stellungnahme des jugendlichen Autors, der sich als Sprecher jener Generation fühlt, die von der Schulbank ins Feld rückte, zur Gegenwartssituation. Es ist jene Generation, die im Überschwang nationaler Begeisterung, unter dem Einfluß nationalsozialistischer Ideen erzogen worden war und dann in den Krieg zog, um das Große, Einmalige, das Geschenk der Vorsehung an das deutsche Volk zu verteidigen und darüber im „Stahlbad" der Front zu Männern zu reifen. Diese Generation vollbrachte einmalige Leistungen an Opferbereitschaft, Tapferkeit und Ausdauer. Aber sie sah sich hineingestoßen in die deutsche Katastrophe, die allen Idealismus als leer, ja falsch erwies, die ihn verdächtig, zerstörerisch, verlogen und zum Sterben verurteilt aufzeigte. Diese Generation erlebte keine Jugend, sie wurde darum betrogen, sie erlebte keine Liebe, ohne Hemmung und Behütung wurde sie hinausgestoßen „aus dem Laufgitter des Kindseins in eine Welt, die uns die bereiteten, die uns darum verachten." Früh hat diese Generation Verantwortung auf sich genommen, aber am Ende wußte ihr niemand zu sagen: wofür? Sie schämt sich ihres als falsch entlarvten Idealismus und weiß doch keinen Ausweg. Das ist die Generation ohne Abschied, ein Begriff, der zeitweilig zum Schlagwort wurde. Der Höhenflug der Begeisterung erwies sich in bitteren Kriegserfahrungen, in Gefangenenlagern und bei der Heimkehr ins Nichts als Irrtum. Es gab keinen Übergang, keinen Abschied für diese Generation. Niemand und nichts ist da, von dem sie Abschied nehmen könnte. Das Leben, zu dem sie erzogen wurde, an das und dessen ideologischen und propagandistischen Vorstellungen sie sich gewöhnt hatte, war ungültig geworden, es existierte nicht mehr. Strapazen sondergleichen hatte diese Generation ertragen: „Die Winde der Welt, die unsere Füße zu Zigeunern auf den heißbrennenden und mannshoch verschneiten Straßen gemacht haben, machten uns zu einer Generation ohne Abschied.“ Es gibt nichts mehr, nichts mehr von dem, wofür diese Generation hinauszog auf die Schlachtfelder Rußlands, existiert mehr. Sie kommt ins Leere, ins Nichts: sie will diesen Abschied auch nicht, sie verleugnet ihn. Aber die freiwillig Verabschiedeten können sich nur wegstehlen wie Diebe, weil sie keiner guten Sache dienten. Eine Generation ist einsam, vereinsamt, nicht einmal den Gott ließ man ihr. Sie wurde „die Generation ohne Bindung, ohne Vergangenheit, ohne Anerkennung,“ Borchert spricht von „unserem zigeunernden Herzen“, das auf stete Irrfahrten treibt. So ist die Bindungslosigkeit, die Kontaktlosigkeit das tiefere Problem geworden. Die Menschen leben nebeneinander, aber nicht miteinander. Eine Zeitlang leben sie gemeinsam, dann stehlen sie sich davon. An jedem Kilometerstein auf den Straßen wartet ein Abschied, aber es gibt keinen, „bei dem unser Herz aufgehoben wäre“; so ist es die Generation ohne Abschied, die nichts bindet, in der jeder auf sich selbst gestellt, allein ist. Sie weiß auch nichts von Heimkehr, denn es gibt nichts, zu dem sie heimkehren könnte, nichts verbindet sie mit der vorhergehenden Generation, die noch fest in scheinbar gesicherter Bindung ruhte und sich wieder einzurichten beginnt. Was sie der Generation ohne Abschied vermittelte, ist zerschlagen und ungültig, es gibt aber nichts Neues, zu dem heimzukehren lohnt. Es ist eine Generation voll Begegnungen, aber diese sind ohne Dauer und Abschied, sie sind wie die Sterne, die sich einander nähern, nebeneinanderstehen, sich dann spurlos entfernen. Es gibt keine Beziehung zur Vergangenheit, die Gegenwart ist trost- und ausweglos.

Aber das ist für Borchert nicht das Ende. Seine Generation ist ohne Abschied und Heimkehr, aber sie ist „eine Generation der Ankunft". Noch zeichnet sich das Neue, die Ankunft erst im Inneren ab, aber sie hält der verlorenen Generation eine Ankunft auf einem neuen Stern, in einem neuen Leben bereit: „Vielleicht sind wir voller Ankunft zu einem neuen Leben, zu einem neuen Stern, zu einem neuen Gott. Wir sind eine Generation ohne Abschied, aber wir wissen, daß alle Ankunft uns gehört." In „Das ist unser Manifest" führt Borchert diesen Gedanken weiter. Wenn nichts mehr aus der Vergangenheit bindet, so muß ein neuer Weg zur Liebe und zur menschlichen Bindung gefunden werden, und dieser Weg führt über das Leid: „Denn wir lieben diese gigantische Wüste, die Deutschland heißt. Dies Deutschland lieben wir nun. Und jetzt am meisten. Und um Deutschland wollen wir nicht sterben. Um Deutschland wollen wir leben. Über den lilanen Abgründen. Dieses bissige, bittere, brutale Leben. Wir nehmen es auf uns für diese Wüste. Für Deutschland. Wir wollen dieses Deutschland lieben, wie die Christen ihren Christus: Um sein Leid."

Wolfdietrich Schnurre

BIOGRAPHISCHE DATEN

Wolfdietrich Schnurre ist am 26. August 1920 in Frankfurt a. M. geboren. Seine Jugend verbrachte er in Berlin, wo er auch das Gymnasium besuchte. Von 1939 bis 1945 war er Soldat. 1946 kehrte er wieder nach Berlin zurück, wo er bis 1949 als Theater- und Filmkritiker an der „Deutschen Rundschau" arbeitete. 1947 gründete er die „Gruppe 47" mit, von der er sich aber 1951 trennte. Seit 1950 lebt er als freier Schriftsteller in Berlin. Er begann mit zeitkritischen Kurzgeschichten — „Die Rohrdommel ruft jeden Tag" (1950) — und den Satiren „Sternstaub und Sänfte" (1953), die 1960 unter dem Titel „Die Aufzeichnungen des Pudels Ali" neu herauskamen. 1958 wurden seine Erzählungen in dem Band „Eine Rechnung, die nicht aufgeht" gesammelt, ihm ist auch „Die Tat" entnommen. Ein Jahr vorher war sein Band Fabeln „Liebe böse Welt" herausgekommen. Auch Schnurres Roman „Als Vaters Bart noch rot war" (1958) hat eher den Charakter einer Sammlung von Erzählungen. Zeitkritisch ist zum großen Teil Schnurres Lyrik, die in mehreren Bänden vorliegt. Von 1946 bis 1961 hat Schnurre 17 Hörspiele und ein Fernsehspiel verfaßt.

DIE TAT

Ein Erlebnis aus der harten Erfahrung von Schnurres Generation, aus dem Kriege, bildet den Gegenstand dieser Kurzgeschichte. Es ist nicht persönliches Erleben, vielmehr wird der Kern der Geschichte, der wiederum auf ein Jugenderlebnis zurückgeht, mit dem Kriegserlebnis verbunden. Zwei Erzählungen sind kunstvoll ineinander verwoben. Diese wiederum sind in eine Rahmenerzählung eingefügt. Drei Männer berichten; Zabel, sein Kamerad und der ehemalige Kriegsgerichtsrat. Die Einheit der ganzen Erzählung aber ergibt sich durch das Motiv der Katze, es ist die Liebe zur Kreatur, insbesondere zum leidenden Tier. Weil aber dieses Motiv in den Krieg hinüberspielt, wird es auch zum Problem der Menschlichkeit. Die gequälte Katze wird zum steten Vorwurf, von dem sich der Schuldige erst durch eine opfermutige Handlung befreit. Diese Tat aber verstößt gegen das harte Kriegsrecht, sie entfesselt Kräfte der Unmenschlichkeit, die bedenkenlos andere ins Verderben führen und sich dabei noch als Hüter des Rechtes fühlen. Aber die gekränkte Kreatur, ob Tier oder Mensch, verlangt gerechte Vergeltung, und das Gewissen führt sie herbei.

Ein Schwerverletzter wird in ein Krankenhaus eingeliefert. Er ist mit dem Auto auf freier Strecke gegen ein Brückengeländer gefahren. Sein Auto ist ausgebrannt, alles, was aus der verkohlten Brieftasche des Verunglückten gerettet wurde, war das von der Hitze zusammengeschnurrte Photo einer Katze. Der Arzt wagt noch nicht, dem Verunglückten zu sagen, daß er das Bein verlieren wird. Er will den immer noch Halbbesinnungslosen zunächst identifizieren. Statt auf seine Fragen einzugehen, erzählt der Verletzte, mehr sich selbst als dem Arzt, daß er sie zu spät erkannt hatte, daß er sie hätte überfahren sollen, zu spät riß er das Steuer herum. Wenn sie überfahren wäre, hätte er Ruhe vor ihr. Der Arzt findet heraus, daß er eine Katze meint. Sein Interesse ist geweckt, er glaubt an einen Katzenkomplex. Der Verunglückte aber macht Andeutungen, die andere Zusammenhänge erscheinen lassen, es handelt sich keineswegs um einen Komplex. Er ist Anwalt; jemand kam zu ihm, ein Spätheimkehrer, vielleicht wollte er einen Rat. Mühsam und widerwillig kommt dem Anwalt die Erinnerung. Früher, während des Krieges, war er beim Kriegsgericht. Erregt verteidigt er sich deswegen, während der Arzt zurückhaltend bleibt, allerdings auch Mißtrauen durchblicken läßt. Nicht mit dem Heimkehrer, aber mit seinem Kameraden, einem Unteroffizier Zabel hatte er einmal dienstlich zu tun. Er möchte dem Arzt jetzt die Geschichte erzählen, um sie loszuwerden. Dieser zögert, er meint, Beichte sei nicht Sache der Medizin, geht aber im Interesse des Patienten doch darauf ein.

Dieser Spätheimkehrer kam also eines Tages in seine Kanzlei, als er gerade über einer schwierigen Sache saß. Zunächst konnte der Anwalt sich gar nicht an Zabel erinnern, allmählich nur wird sein Gedächtnis mit viel Unterstützung wach. Er will den lästigen Besucher, der ihn kribblig macht, abschieben, behandelt ihn kühl und

von oben herab. Die Tat, für die er Zabel damals verurteilte, war einwandfrei bewiesen, seine vorgebrachten Beweggründe waren simuliert. Der andere aber bleibt überlegen ruhig, der ehemalige Kriegsgerichtsrat, wie er ihn zu seinem Ärger nennt, willigt ein, die Geschichte zu hören.
Zabel lag mit seiner Einheit im Winter 1943 an irgendeinem Nebenfluß des Dnjepr. Der Fluß ging hoch und führte Treibeis. Auf einer Eisscholle saß eine riesige schwarze Katze. Die Landser hatten gleich Schneebälle und Konservendosen bereit, um mit ihnen nach dem verängstigten Tier zu werfen. Zabel aber wagte sich auf das Eis, stürzte ins eiskalte Wasser, vermochte sich aber dennoch ans Ufer zu bewegen, nicht ohne die Katze gefaßt zu haben. Pioniere zogen ihn heraus. Die Folge war eine schwere Lungenentzündung. Wegen Selbstverstümmelung und Wehrkraftzersetzung kam Zabel vor das Kriegsgericht, das ihn unter dem Vorsitz des Kriegsgerichtsrates zu zwei Jahren Gefängnis und einem Jahr Strafkompanie verurteilte. Für damalige Verhältnisse war das ein mildes Urteil. Der Anwalt weist diese „blöde Ironie" massiv zurück, er hat nie für eine ungerechte Sache plädiert. Der andere aber wirft ihm vor, daß Zabel sich nicht verteidigen durfte. Der so entschieden sich wehrende Kriegsgerichtsrat ist gewiß nicht im Unrecht. Er hat nur dem Formalrecht die Menschlichkeit geopfert, er ist nicht mehr Vertreter des Rechtes, sondern Funktionär eines politischen oder aus der Not der Verzweiflung handelnden Terrorregimes: Das Gesetz aber steht dennoch hinter ihm.
Die Katze hat der Kamerad an sich genommen. Aber der Chef mag sie nicht, er verlangt, daß sie abgeschafft wird. Er schreit den Mann, der sie nahm, an, dieser schreit zurück. Das Ergebnis ist, daß er wegen Befehlsverweigerung und Beleidigung der Offiziersehre für ein Vierteljahr zur Strafkompanie kommt. So ist er wieder mit Zabel zusammen. Die Katze durfte er mitnehmen, und nicht nur Zabel, sogar die Aufpasser freundeten sich mit ihr an. Nachts müssen sie vor den russischen Stellungen Minen räumen, tags dürfen sie schlafen. Eines Tages erzählt Zabel dem Kameraden die Geschichte der Katze.
Als Junge strolchte er mit einem wenig älteren Spielkameraden auf den Feldern umher. Unter einem umgekehrten alten Eimer ent-

deckten sie eine Katze. Der Spielkamerad, ein von Natur grausamer Junge, wollte das Fell des Tieres und schlug mit dem Knüppel auf die Katze ein, die in den Eimer zurückflüchtete. Da riß auch Zabel eine Zaunlatte ab und stach schreiend und keuchend auf das Tier ein. Der andere Junge schleuderte die Katze in die Nesseln, wo sie mit blutendem Maul, unfähig sich fortzubewegen, liegenblieb. Sie hatten ihr das Rückgrat gebrochen. Aber der Blutrausch, eine hemmungslose Mordlust war über die Jungen gekommen, sie trampelten schreiend mit ihren Nagelschuhen auf dem sterbenden Tier herum, daß die Eingeweide hervortraten. Plötzlich lagen neben der Katze drei unscheinbare Fellknäuel, drei Junge, die Katze war trächtig gewesen. Jetzt erst kommt der kleine Zabel zur Besinnung, die Wut richtet sich gegen den Gefährten. Er packt ihn, der immer noch keuchend auf der Katze herumtrampelt, bei der Kehle, aber er kann entwischen.

Niemals mehr wurde Zabel die tote, die gemordete Katze los. Er versuchte, sich selbst zu töten, aber nur eine schwere Krankheit war die Folge. Er spürte, daß nur sein Tod seine Untat sühnen konnte, sein Leben wurde ein einziges Warten auf das Unausbleibliche. Überall verfolgten ihn die phosphoreszierenden Katzenaugen. Sie verließen ihn nicht, als er heranwuchs, sie begleiteten ihn auch in den Krieg. Da begriff er, „daß auch im Grauen, auch in der Angst eine Forderung steckt; die Forderung, etwas zu tun. Etwas, das das Grauen beschämt, das die Angst auslöscht. So kam es zu seiner Tat, er mußte die Katze von dem Eis retten. Seitdem ist sie, so erzählte Zabel dem Kameraden, nicht wiedergekommen. Zwei Tage später war er tot, er war auf eine Mine getreten, als er die Katze, die im Vorfeld Mäuse jagte, holen wollte.

Der ehemalige Kriegsgerichtsrat hat die Geschichte des Heimkehrers gehört. Noch einmal fragt er ihn, warum er ihm das so haarklein erzähle. Der Besucher aber lächelt: „Ihnen hab ich's eigentlich gar nicht erzählt." „Wem denn dann?" fragt der Anwalt. Der andere sagt: „Ihrem Gewissen". In dem Augenblick wird der Anwalt abberufen. Als er zurückkommt, ist der Heimkehrer verschwunden, nur das Photo von der Katze hat er auf seinem Schreibtisch liegengelassen. Er meint, das Tier sei ärgerlich darüber gewesen, daß es photographiert wurde. Als der Arzt einwirft, vielleicht sei es doch nicht nur Ärger gewesen, der die Katze auf dem Photo in so wütender Haltung zeige, erfährt der Verunglückte entsetzt, daß dieses Bild als einziges vom Brieftascheninhalt aus dem ausgebrannten Wagen gerettet wurde. Er ist die Katze nicht losgeworden.

Der Mensch lebt in geheimnisvoller Bindung mit der gesamten Kreatur. Diese Bindung auch an Pflanze und Tier bedeutet Verpflichtung zur Erhaltung des Lebens. Nur der Mensch ist fähig, Leben zu fördern, zu hegen und zu steigern. Wer im Einklang mit der Natur lebt, kann auch in echter Gemeinschaft mit den Menschen leben. Er kann den Mitmenschen verstehen, die Beweggründe seines Handelns durchschauen, in Harmonie mit ihm sein. Diese menschliche Fähigkeit, die das Ergebnis einer vieltausendjährigen zivilisatorischen und geistigen Entwicklung ist, wird aber immer von neuem gefährdet. Am Grunde der menschlichen Seele ruhen auch urtümliche, tierische, verheerende Instinkte. Als das Kind Zabel die Katze tötete, war das keine eigentlich strafbare Handlung, es war zunächst unbedachtes Tun, es ist häßliches Handeln, das man durch Erziehung einem Kinde abgewöhnen muß, aber noch nicht unsühnbar. Das Schuldgefühl Zabels folgt erst daraus, daß er sich dem urtümlichen Blutrausch, der wilden Mordgier hemmungslos überließ, daß er die Tötung des hilflosen Tieres wie einen Triumph empfand, wie ein großes Lustgefühl. Er war in jenem Augenblick Urwesen, an der Schwelle des Tierseins. Menschlichkeit ist nicht nur eine gesellschaftliche Forderung, sie ist eine Haltung, die aller Kreatur gilt. Der Mensch kann bewußt Opfer bringen. Zabel hat ein tiefes Schuldgefühl gegenüber der Kreatur. Er kann es nicht sühnen, nicht wiedergutmachen, was tot ist, bleibt tot. Aber er befreit sich durch die Tat, deren Folgen für ihn verhängnisvoll werden mußten. Er opfert sich für das gepeinigte und vom Tode gezeichnete Tier.

Der Krieg aber zerstört die Einheit von Mensch zu Mensch, vom Menschen zur übrigen Schöpfung. Sein Werk heißt Vernichtung, er macht das Töten zum Handwerk. Es ist Zabels Tragik, daß seine Tat in den Krieg fällt, in dem die Gesetze der Menschlichkeit weitgehend aufgehoben sind. Der Kriegsgerichtsrat hat gewiß nur nach dem Gesetz des Krieges, das härter und grausamer ist als das des Friedens gehandelt. Aber sein Irrtum beruht darin, daß er glaubt, geschriebenes oder überliefertes Gesetz könnte die Verantwortung vor dem Gewissen außer Kraft setzen. Auf die Dauer lassen sich die Kreatur und das eigene Gewissen nicht mit der Berufung auf unzulängliche, ja urtümliche, die Menschlichkeit abstreifende Rechtssatzungen täuschen. Der Kriegsgerichtsrat erkennt das nicht. Er ärgert sich, weil er die Katze auf der Straße nicht einfach überfahren hat, dann wäre er sie los. In überlegener und überheblicher Weise setzte er sich über sein Gewissen hinweg. Aber er hat die Menschlichkeit verletzt, als er Zabel das Recht, seine Beweggründe darzulegen, verweigerte, als er den Beschuldigten als Simulanten abtat, ihm die menschliche Achtung verweigerte, ihn überhaupt nicht als Menschen sehen wollte. Er hat die Menschheit und in ihr die ganze Kreatur gekränkt. Sie verfolgt ihn. Er aber ist unfähig zu einer Tat, die ihn wie Zabel befreien könnte, er ist der Mann der Halbheiten, der Opportunität und des Kompromisses, der offensichtliches Unrecht mit einem leichten: „Trotzdem — manchmal bleibt einem auch einfach gar nichts anderes übrig, als exemplarisch durchzugreifen," beiseiteschiebt. Er kommt nicht zur Tat, er verunglückt. Aber die Katze, sein Gewissen, wird er nicht los. Er ist nicht schuldiger als alle, aber „was wir aus unserem Schuldgefühl machen, wie wir uns einrichten mit ihm — darauf kommt's an."

Ernst Wiechert

BIOGRAPHISCHE DATEN

Ernst Wiechert ist am 18. Mai 1887 im Forsthaus Kleinort (Kreis Sensburg, Ostpreußen) geboren und am 24. August 1950 in Uerikon am Zürichsee gestorben. Von 1911 bis 1930 war er Studienrat in Königsberg und Berlin. Seit 1933 lebte er als freier Schriftsteller in Ambach am Starnberger See, von wo aus er weite Auslandsreisen unternahm. Er geriet in Konflikt mit den nationalsozialistischen Machthabern und wurde 1938 ein Vierteljahr lang im Konzentrationslager Buchenwald festgehalten. Nach dem Kriege ging er aus Gesundheitsrücksichten in die Schweiz.
Wiecherts Lebenswerk umfaßt zahlreiche Romane und Erzählungen. Nach dem Kriege trat er 1945 mit seiner „Rede an die deutsche Jugend" hervor. Das Erlebnis der ostpreußischen Heimat bestimmt viele seiner Werke. Zu ihm kommt das Erleben des ersten Weltkrieges, der ihn zum Kriegsgegner machte. Immer entschiedener tritt in seinen letzten Werken die Verkündigung einer Humanität aus christlicher Sicht hervor. Die Erzählung „Der Hirtenknabe" (aus Moderne Prosa II, eine Lesebuch deutschen Schrifttums seit 1885, herausgg. von Th. Gerhardts, Paderborn 1947) ist ein Teil der 1935 erstmals erschienenen „Hirtennovelle", der als in sich geschlossen aus dem Ganzen gelöst und als Kurzgeschichte veröffentlicht wurde. Die Erzählung „Der Hauptmann von Kapernaum" ist der Sammlung „Die Flöte des Pan" (1930) entnommen.

DER HIRTENKNABE

Es geht in dieser Episode aus der „Hirtennovelle" um das einfache Leben, das in Einheit mit Natur und Gesellschaft in sich geschlossen und sinnerfüllt ist. „Michael, einer Witwe Sohn", schrieb der Lehrer in sein Buch, als er ihn in die Schule aufnahm. Er ist der Ärmste der Klasse. Der Lehrer legte mit dieser biblisch feierlichen Bezeichnung „einen gleichsam alttestamentlichen Glanz um seine Stirn“, aber das Kind war mit sich zufrieden und strebte nicht nach höheren Dingen. Wie selbstverständlich richtete es sich in der Gemeinschaft des armen Dorfes ein. Das Natürliche begreift und beherrscht der Knabe. Als der Lehrer nach dem tieferen Sinn der Geschichte von David und Goliath fragt, erklärt er sachlich, daß die Schleuder wahrscheinlich aus Haselholz war, das dafür besonders geeignet sei, und daß es zum Treffen Übung erfordere. Er muß sich belehren lassen, daß es auf den Geist Gottes ankommt, der den Streiter erfüllt. Das lernt er dann auswendig wie Buchstaben und Silben, Bibelsprüche und das Einmaleins.

Es gibt in dem armen Moordorf noch eine natürliche Rangordnung, die einfach hingenommen und durch die religiöse Grundlage für jedermann einleuchtend begründet wird. Ihre Gesetze aber schreibt die Natur vor. Auch Michael fügt sich. Als er heranwächst, muß er arbeiten, und er beginnt seine Laufbahn, „wie die Gesetze eines Dorfes vorschreiben“, als Gänsehirt. Diese Tiere sind die am geringsten Geachteten und am leichtesten zu Bewahrenden. Er lernt viel von „der hochmütig geleugneten Klugheit dieser Tiere“, er wird mit der Welt der Wiesen und Tümpel, der mageren Stoppelfelder eins, er erkennt, wenn er im heißen Sommer auf dem Rücken liegt, Form und Herrlichkeit der Wolken. Das Droben und Drunten schließen sich ihm zur großen Einheit. Hier findet Wiechert den Anschluß an den „alttestamentlichen Glanz“, in dem Kinde wächst „die frohe Bruderliebe zum stummen Geschöpf und die stille Sicherheit derer, die in jungen Jahren zum Hüten und Bewahren berufen werden, gleichviel ob ihren einsamen Händen Gänse oder Völker überantwortet sind.“ Der Geist, der einst David beherrschte, dessen Erklärung Michael brav nachplapperte, lebt in dem kleinen Gänsehirten, die große Welt ist ihm noch Einheit. So schneidet ihm auch um Martini der erste Todesschrei der von ihm so sorgsam Gehüteten bitter ins Ohr. Aber er nimmt es, wie die Natur es vorschreibt, der Herbst bedeutet ihm Abschied „von der königlichen Freiheit seines Amtes“. Er kehrt wieder in das arme, kümmerliche Leben in der Hütte der Mutter zurück, schnitzt Löffel und Quirle, hört die „etwas gewalttätigen Märchen und Legenden der Mutter an, geht auch wieder zur Schule, widerspricht manchmal, schweigt aber häufiger,

weil ihm die Welt der Schule fremd wird. Er verfällt bei dieser Tätigkeit körperlich, er braucht das Regentenamt, sei es ihm auch nur über Gänse anvertraut. Er braucht die Tiere, den Umgang mit Natur und Kreatur, es ist unbewußt etwas von der Liebe des St. Franziskus zum Bruder Geschöpf, zum „Bruder Tier" in ihm.
Als Michael zwölf Jahre alt ist, überträgt ihm das Dorf seine gesamte Herde. Sie ist, wie das Dorf, klein und ärmlich, nicht nur Kühe, sondern auch Schafe und Ziegen gehören zu ihr. Der Glanz des Dorfes aber ist der Stier des Schulzen. Er trägt einen Ring in der Nase, und sein Besitzer hat ihn gegen die Meinung des ganzen Dorfes „Bismarck" genannt. Zur Übertragung des alten Amtes auf einen jungen Hirten hat der Schulze das ganze Dorf mit der Herde auf seinem Hof versammelt. Zwei Gestalten ragen über die Menge empor, der Schulze und sein Stier Bismarck. Und wenn der König der Tiere einen Nasenring hat, so hat auch der Schulze etwas, das ihn über seinesgleichen hoch emporhebt: einen goldenen Zahn, der anfangs für das ganze Dorf sündhaft und Teufelswerk schien, auf den es nach der Gewöhnung aber stolz ist. Jetzt hält der Schulze eine feierliche Ansprache und vergißt auch nicht, die Geschichte der Erzväter und ihrer wunderbaren Erhöhungen. Der kleine Michael aber umkreist unbekümmert um seine Worte die Herde. Er freundet sich mit dem Hund und dem Stier an, in wenigen Minuten hat er Besitz ergriffen von der bunten Schar der Tiere. Der überraschte Schulze schließt vorzeitig seine Rede und überreicht dem jungen Hirten die Zeichen seines Amtes, die lange Peitsche und das Rindenhorn. Aber dieser hat schon das Hoftor öffnen lassen und treibt die Herde aus, so sicher und selbstverständlich, als habe er sein ganzes Leben lang nichts anderes getan. Seine Mutter weint vor Ergriffenheit über die anerkennenden Worte des Schulzen, während ihr Sohn schon die Herde das Moor entlang treibt, „so von fern einem der königlichen Hirten nicht unähnlich, von denen eben die Rede war, und die nun jetzt wie vor Jahrtausenden in eine fremde Wüste auszogen, um Weide und Brunnen zu finden, und in den Nächten zu den hohen Sternbildern aufzublicken, zwischen denen die Verheißung geschrieben stand, die der Gott der Hirten über die Stirn eines von ihnen als eine feierliche Gewißheit ausgesprochen hatte."
Es ist stille Dichtung von einem bescheidenen Leben, das noch

ganz eingebettet ist in die große Ordnung der Natur. Diese Ordnung ist die gleiche, die seit den Tagen der Erzväter für Bauern und Hirten galt. Das Kind wird von der Liebe zu den Tieren ergriffen, diese Liebe weitet sich aus auf die ganze Kreatur, sie umgreift auch den widerspruchsvollen Menschen. Sie ist aber auch mit Verantwortung geladen, die Christus im Bilde des guten Hirten, der sein Leben hingibt für seine Schafe, deutet. Aus ihr kommt in gleicher Weise die Kraft zum Erdulden wie zur Tätigkeit. Anschaulich stellt Wiechert es dar am kleinen Michael, der wie selbstverständlich beim Beginn des Winters heimkehrte in die ärmliche Hütte der Mutter, still arbeitete, lernte, las, zuhörte, mehr schwieg als sprach, und der im Frühjahr wieder aufsteht: „Er erhob sich mit den ersten Frühlingswinden aus dem trüben Kreis von Herdrauch, Legenden, Schulweisheit, Hunger und Verlorenheit zu der Weite und Freiheit tätigen Lebens, etwas magerer, etwas blasser als zuvor, aber mit wachsender Sicherheit, als habe der Winter ihn mit einem Zauberwort versehen, das nur ihm allein im ganzen Dorf bekannt war." Es ist die Bindung an die Natur, die Liebe zur Kreatur, die nach der langen Winternacht den jungen Menschen aufleben läßt, weil die Einsamkeit, das Gefühl des Verlorenseins in einer zwar geschäftigen aber leeren Welt weicht, erneut der feste Platz in der großen Ordnung zugewiesen ist. Mag es auch ein bescheidener Platz sein, auf ihm ist der Hirtenknabe König und Gebieter über viele Lebewesen. Die biblische Parallele freilich wird in dieser Episode der Novelle manchmal zur feinen Ironie, sie kann auch an der Gestalt des Schulzen und seines Ochsen in satirischer Einseitigkeit darstellen, daß selbst in dieser so geordneten Gemeinschaft Menschen mit ihren großen und kleinen Fehlern leben. Die geschliffene bilderreiche Sprache Wiecherts wirkt klassisch, sie schafft Abstand dadurch, daß die direkte Rede vermieden und in Erzählung und Bericht gewendet wird. Die biblischen Anspielungen sind in diesem Stück der Novelle freilich nicht immer ganz verständlich, sie erhöhen das bescheidene Geschehen in einer Weise, die vom Stoff nicht gefordert erscheint. Ihren symbolischen Charakter und Wert, damit aber auch ihren humanen Grund erschließen sie erst dem, der die ganze Novelle liest.

DER HAUPTMANN VON KAPERNAUM

Die Erzählung behandelt ein Erlebnis, das denen Wiecherts gleichen mag, die ihn zum Kriegsgegner machten. Ein „Sonderling", ein ungewöhnlicher Mensch, Major von Soden, steht im Mittelpunkt, „ein gänzlich unmilitärischer Mensch, wiewohl ein hochbefähigter Offizier." Er stammt von beiden Eltern aus alten Soldatenfamilien. Seine Vorfahren, seine Geschwister, seine Verwandten leben in ihrer „Kaste", streng, preußisch, dem König ergeben, schlicht in der Lebensführung, herb im Urteil, hochmütig noch in ihren Särgen." Alles was unter ihrem Stande liegt, stellt „ein leise mißglücktes Erzeugnis des sechsten Schöpfungstages" dar. Wer aus diesen unteren Schichten jemals wagte, sich gegen die gleichsam geheiligten Kasten aufzulehnen, war „Pack" Vor Gott noch kam der König und gleich nach ihm der General. Die roten Hosenstreifen waren das höchsterreichbare Lebensideal. Major von Soden aber war anders, er blieb labil, in ihm war und ist eine schwer zu fassende Erwartung auf etwas Unsagbares, das „alles jahrhundertealte Gut an Stolz, Pflichtgefühl, Tradition klirrend ins Bodenlose stürzen und nichts übrig lassen würde als ein entleertes, nachschwankendes Gefäß, zu allem Ersten, Neuen, Unerwarteten auf eine gleichsam fromme Weise bereit."

Major von Soden war ein ungewöhnlicher Mensch und seiner Umgebung fremd. Er fragte, wonach nicht gefragt werden durfte, er sprach aus, was nicht ausgesprochen werden sollte. In der Abgeschlossenheit seines Lebens galt der Mensch weniger als das Buch. Seltsame Gewohnheiten hatte er angenommen, Orakelversuche, Selbstgespräche, den Zwang bis zwölf zu zählen, bevor er ein Kommando abgab. Aber das war verschwiegen, fast spielerisch, nur wenige ahnten es. Er war nicht unglücklich, aber von einer „leise bebenden Unruhe", er glich „einem der Horchposten der Menschheit, die sie vor den Entladungen ihrer großen Schicksale hinauszuschicken pflegt: Dichter, Märtyrer, Propheten, damit sie an ihren Ekstasen, ihrem Schreien, ihrem Sterben fühle, ob es Zeit sei, die Würfel über die Erde zu schleudern." So empfand von Soden den Ausbruch des Krieges als eine Erlösung. Er glaubte, daß sich nun die Abgründe, über denen die ahnungslose Menschheit lebt, öffnen müßten um das Antlitz Gottes oder des Satans zu enthüllen. Aber nichts dergleichen geschah, es gab „Tod und Vernichtung, Grauen und Leid, Lüge und Heiliges, aber es war nur ein Mehr an Masse, war Häufung und geballte Steigerung." Weder Gott noch Satan enthüllten sich, nur der Mensch in seinen jahrtausendealten Urinstinkten trat schrecklich hervor.

Die eigentliche Handlung der Erzählung ist auf wenigen Seiten abgetan. Wiechert wendet die rückläufige Technik an, Strich um Strich fügt er dem Bilde des Majors hinzu, bis er als ganzer Mensch vor dem Leser steht. So wird auch die Geschichte seines Spitznamens berichtet. Vor dem Kriege nahm er an einem Gottesdienst in der Garnisonkirche teil, in dem der Geistliche das Evangelium vom Hauptmann von Kapernaum vorlas. Bei den Worten „Gehe hin, dir geschehe, wie du geglaubt hast" war er aufgestanden und einige Schritte zur Kanzel vorgegangen. Bis zum letzten Wort der Predigt war er dort stehengeblieben. Auch nach dem Gottesdienst blieb er auf befremdende Weise unter dem Eindruck des Evangeliums, so daß ihm der Spitzname „Der Hauptmann von Kapernaum" blieb. Der Krieg widerte ihn an, aber als er zu Ende war, blieb er im Dienst, weil er nicht wußte, wo er bleiben sollte.

So kommt er in das Aufruhrgebiet zwischen Rhein und Weser. Zwei Truppenkolonnen begegnen sich. Die eine kommt mit Verwundeten und Gefangenen vom Kampf zurück, die andere, zu der Major von Soden gehört, zieht in den Einsatz. Unter den Gefangenen fällt einer durch sein „ruhiges, stolzes und gleichsam leuchtendes Gesicht" auf, ein Bergmann. Schon waren die Kolonnen weitergezogen, da wandte sich Major von Soden um und ritt zu den Gefangenen. Er erkundigte sich nach dem Marschziel und erfuhr, daß für die Nacht mit der Erschießung der meisten Rebellen zu rechnen sei. Der Major beginnt dann ein Gespräch mit dem Bergmann, der auf seine Frage, warum er getötet habe, ohne zu zögern, antwortet: „damit seine Kindeskinder nicht mehr zu töten und den Tod durch Menschenhand zu erleiden brauchten." Nachdenklich reitet von Soden neben dem Gefangenen her. Plötzlich fragt er: „Und Christus?" Lächelnd erwidert der Bergmann, daß Christus, wenn er zu dieser Stunde bei ihnen wäre, „der größte

Töter der Menschen sein würde." Während der Major durch die reifenden Felder und sonnige Landschaft zu seiner Truppe zurückreitet, empfindet er seine Gestalt „als etwas Fremdes und Böses in der lautlosen Stille des Hügels, als etwas Bekleidetes und Gerüstetes, eine Empörung gegen das stille Wachsen der fruchttragenden Erde und Gottes schweigendes Wachen über seinem Werk."
Der Tag wird „blutig, haßvoll und zermürbend", erst gegen Abend wird das Ziel des Angriffes erreicht. Aber in der Nacht noch reitet der Major zu der Ortschaft, in der er die Gefangenen weiß. Er findet sie auch und läßt sich zu dem Bergmann führen. Vorher zündet er eine Kerze an einer anderen an und denkt dabei, daß einmal eine Zeit kommen muß, da sich Mensch am Menschen entzündet. Der Gefangene sieht ihm ruhig entgegen. Der Major erzählt ihm, wie er zu dem Namen „Hauptmann von Kapernaum" kam. Plötzlich erfaßt er, wie jemand zum Tode gehen und doch froh aussehen kann, daß die Kraft des Glaubens ihm diese Haltung verleiht. Glühend bekennt der Bergmann seinen Glauben an die Zukunft, an eine Welt, deren Herr der Mensch ist. Noch ist das Alte stark, aber die junge Wurzel sprengt auch den festen Stein. Der Major fragt geradezu, wer von ihnen beiden zu leben verdiene, und ohne Zögern antwortet der Bergmann: „Der Glaube. Weder der Hauptmann noch der Bergmann. Nur das Gefäß des Glaubens." Der Major tauscht seine Uniform gegen die Kleidung des Bergmannes aus, er ist entschlossen, ihm die Flucht zu ermöglichen. Fassungslos läßt der andere alles mit sich geschehen. Endlich fragt er: „Warum tun Sie das?" Der Major erwidert: „Daß die neuen Eimer schöpfen können. Nur der Glaube verdient zu leben, das Gefäß, vergiß es nicht." Er bleibt allein, grübelt nach, was ihm bevorsteht, Kriegsgericht, Ächtung, vielleicht wird man ihn für geistesgestört erklären. Aber der Tag wird kommen, an dem er neu anfangen kann „zu Füßen Christi".
Alarmsignale, allgemeines Laufen, Dröhnen von Kraftwagen wekken ihn aus leichtem Schlaf. Er wird hochgerissen und mit den anderen Gefangenen hinausgestoßen. Fassungslos hören die Soldaten seine Forderung, vor den Offizier geführt zu werden, um seine Gefangenenbefreiung zu Protokoll zu geben. Sie halten ihn für übergeschnappt. Sie haben höchste Eile, die Front ist nahe

gerückt, das Donnern der Kanonen und Knattern der Maschinengewehre kommt beängstigend nahe. Sie denken nur an Flucht. Vorher aber wollen sie noch die Gefangenen liquidieren. Major von Soden begreift, daß es in dieser Hast und Verwirrung keine Rettung mehr gibt. Plötzlich überfällt ihn die Gewißheit, daß Gott das ganze Opfer von ihm fordert, daß er nur spielen wollte, Gott aber gerecht bleibt. Gleichzeitig erwächst in ihm machtvoll der Glauben, daß sein Tod Beginn des Neuen werden muß, daß an ihm sich das Licht des Glaubens entzünden wird. Im Sterben sieht er wie auf einem Kanzeltuch „den seltsamen Namen der galiläischen Stadt, in der es sich zugetragen hatte, das Schöne und Wunderbare, das Kraft gehabt hatte über zweitausend Jahre . . ."

Die kleine Erzählung ist großartige Dichtung einer christlichen Humanität in kunstvoll klarer, bis zur Erhabenheit gesteigerter Sprache. Sie ist durchdrungen vom Glauben an das Unabwendbare des Geschehens, dieses aber fügt sich in den großen Plan Gottes. Das Leben und Sterben des „Hauptmanns von Kapernaum" sind sinnbildlich für eine unendliche menschliche Sehnsucht, die bei vielen durch Gewöhnung, Vorurteil, Dumpfheit der täglichen Fron erstickt ist, aber bei einzelnen Begnadeten immer heller aufleuchtet als Leuchtfeuer auf dem Weg des Glaubens. „Geh hin, dir geschehe, wie du geglaubt hast", an diesem Christus-Wort hat sich die Bereitschaft des Majors zum Werk des Glaubens entzündet. Gewiß ist er ein Einzelner, Einsamer, seinem Sterben haftet der Zufall an, der eine geängstigte, nur auf eigene Rettung bedachte Schar von Soldaten in hastigen Blutrausch treibt. Aber sein Opfer ist echt, und sein Schicksal ist das vieler, die dem Evangelium bis in die letzte Konsequenz folgen: „Das kleine Licht meines Todes wird sich nicht verlöschen lassen . . es wird brennen . . der Glaube wird brennen . . der Mensch wird sich am Menschen entzünden." Die Erzählung ist nichts weniger als realistisch, sie setzt große Symbole.

Herbert Eisenreich

EIN AUGENBLICK DER LIEBE

Biographische Daten: Herbert Eisenreich ist am 2. Februar 1925 in Linz geboren. Er studierte in Wien Germanistik, arbeitete daneben in verschiedenen Berufen. 1952 entschloß er sich, nach ersten Erfolgen, freier Schriftsteller zu werden. Er lebte bis 1956 in Deutschland, dann zwei Jahre in Wien und seit 1958 in Sandl bei Freistadt, Oberösterreich. 1951 erschien die Erzählung „Einladung, deutlich zu leben", 1953 der Roman „Auch in ihren Sünden". 1952 wurde sein Hörspiel „Wovon wir leben und woran wir sterben" gesendet. Unsere Erzählung stammt aus dem 1957 erstmals erschienenen Band „Böse schöne Welt". Neuere Veröffentlichungen sind die Schrift „Carnatum" und „Eheliches Spiel" (beide 1960).
Zwei Menschen begegnen sich auf einen flüchtigen Augenblick. Sie sind nicht mit Namen benannt, ein „Er" und eine „Sie", wie sie zu Tausenden einander begegnen mögen. Einen Augenblick flammt zwischen ihnen ein Gefühl auf, das man Liebe nennen mag, nicht sinnliche, begehrende Liebe, sondern die Gemeinsamkeit, die bereit ist, einander zu behüten, zu wahren, im Glück zu fördern, der Wunsch, ohne Gegenansprüche zu machen, zu geben, zu verschenken, ja, zu verschwenden aus eigenem Reichtum. Aber dann tritt der Bruch ein. Die beiden sind zu verschieden, der Traum einer flüchtigen Nacht endet in einem kalten, ungnädigen Morgen. Ein junger Mann im Hochgefühl des Lebens, getragen vom Erfolg, beschwingt vom Wein, kommt mit Freunden in ein Lokal, das er sonst vielleicht nicht besucht hätte. Ein leichter Drüsenschmerz, verursacht durch eine Zahnfleischentzündung, war plötzlich verflogen, er hatte geschäftliche Versäumnisse nachgeholt und dabei erlebt, daß aus Nachlässigkeit und Verzögerung für ihn und den Geschäftsfreund unerwartete Vorteile erwachsen waren. Eisenreich drückt seine heitere Stimmung folgendermaßen aus: „Er war voll von jener Heiterkeit, die durch nichts weiter verursacht wird als durch das Fehlen jener winzigen, sozusagen mikroskopisch kleinen

Peinlichkeiten, die gemeinhin das Leben trüben wie Kalk das Leitungswasser". Weil er davon bis in die letzte Muskelfaser erfüllt war, war er „Beschwingt zum würdigsten Ausdruck des Glückes: zur Eleganz." Er war sich des eigenen unverlierbaren Schwerpunktes innerlich sicher, er war gewiß, „nicht aus dem Raum seiner Selbstbeherrschung zu kippen."
Als er einmal den Blick mit dem an die Lippen gesetzten Glas erhebt, sieht er ihr Gesicht. Auch sie hat Wein getrunken, weniger als er, aber mit anderem Zugriff. Wenn sie das Glas auf den Tisch zurückstellt, „scheinbar sanft, aber nur müde, da wünschte sie zuweilen, das Glas zerspränge". Eine seltsame Unruhe ist hinter ihrer Müdigkeit, das Verlangen nach Glück und Leben. Er tanzt einige Male mit ihr, spricht mit ihr, Worte ohne Belang, aber so elegant wie er selber. Er zwingt sie durch Gesten und Worte in den Bann seines Glückes. Für diese kurze Weile vergißt sie alles, sie tanzt zurück um die Jahre, die in ihrem Gesicht verzeichnet stehen, sie vergißt, daß es zu spät ist für ein Leben der Art, „wie der Mann, der sie tanzend dahin entführte, es anbot". Sie hat sich die Fähigkeit bewahrt, all dem fremden Leben, das über ihr eigenes dahin- und hinweggegangen ist, das eigene entgegenzusetzen. So leuchtet hinter den Zeichen, die in ihr Gesicht gegraben waren, unversehrt ihre Schönheit auf.
Vor dieser Schönheit, vor dem Durchbruch ihrer Heiterkeit vergißt er für einen Augenblick, daß alles, was ihr schon hundertfach gezeichnetes Gesicht, der Vorhang „gewebt aus Harm und Elend und hundertfacher Erniedrigung" festhält, sich nicht einfach beiseite schieben läßt, um ihre Schönheit strahlend hervortreten zu lassen. Er will es jetzt, in diesem Augenblick nicht wahr haben, daß auch dieses Gesicht einmal verwüstet sein würde, er fühlt sich in seiner beschwingten Kraft stark genug, alles zu tun und lassen, was nötig ist, um dieses Gesicht, dieses Glück vor dem Ruin zu retten.
Aber dann befällt ihn das Bewußtsein, daß es keine Rettung gibt, daß es unmöglich ist, Geschehenes ungeschehen zu machen. Auch hierfür hat Eisenreich ein anschauliches Bild: er hatte für eine kurze Weile vergessen, „daß die Welt eine Scheibe ist, eine Scheibe mit einer Ober- und einer Unterseite, zwischen denen es keine Verbindung gibt, denen garnichts gemeinsam ist, die einander ent-

fremdet sind vom Anbeginn an durch ein undurchschaubares Verhängnis." Als er am nächsten Morgen erwacht, ist sein erster Gedanke: „wie sich zu wehren dagegen, und ob es der Liebe nicht doch gelänge, die Welt so rund zu machen, wie sie sein sollte." Aber er wußte, daß er sie, „an deren Rettung er jetzt dachte, nur hoch gehoben hatte, und daß sie jetzt nur umso tiefer fallen würde." Ihr Bild verblaßt ihm bald, er gibt es auf, sich Rechenschaft zu geben. Sie aber hatte gewußt, noch ehe er aufstand und das Lokal verließ, daß „es zu spät war für alles, zu spät auch dafür, sich zu erinnern, wann es begonnen hatte, was hier nun so enden mußte." Wenn er sich umgewandt hätte, so hätte er ihr Gesicht nicht mehr sehen können, sie hielt den Kopf tief über ihr Glas gebeugt, in das sie sah wie ein Blinder in einen blinden Spiegel.
Eine einfache alltägliche Episode wird erzählt, die sich tausendfach wiederholen mag. Hinter ihr verbirgt sich eine menschliche Tragik, die ebenfalls verbreitete Zeiterscheinung ist. Die Gestalten bedürfen keiner Namen, sie stehen stellvertretend für viele. Ihr Denken und Fühlen wird mit unerbittlichem psychologischem Tiefblick erfaßt und seziert, jede innere Regung ist bloßgelegt. Über dem menschlichen Wollen steht ein unabänderliches Verhängnis. Der Mensch kann die Vergangenheit vergessen, aber nicht auslöschen. Niemand weiß später zu sagen, wann das, was er als Unglück seines Lebens empfindet, einmal begonnen hat. Es muß kein großes Geschehen sein, es ist meist „ein unkenntlicher Anfang eines Geschehens". Aber dieses Geschehen vollendet sich unter unerbittlichem Zwang, kein Schritt kann rückgängig gemacht werden, kein Teil des Lebens, mag er gewollt sein oder sollte er ungelebt bleiben, läßt sich wegdenken. Hier ist auch die Macht der Liebe am Ende. Wenn es einmal zu spät ist, gibt es keine Rettung, kein Zurück mehr. Sie versucht noch immer, ihr eigenes Leben dem über sie verhängten fremden Leben entgegenzusetzen, sich nicht niederzwingen zu lassen. Aber sie muß erkennen, daß es zu spät ist, es gibt keine Brücke zwischen dem zukunftszugewandten Mann und ihr, die harte Erlebnisse vieler Jahre mitschleppen muß, ihnen nie mehr zu entrinnen vermag. Es gibt nur Illusionen oder Selbsttäuschungen, die einen rascheren und schlimmeren Verfall zur Folge haben. Es ist nicht Kontaktarmut oder Unfähigkeit zur Liebe, die

diesen Zustand heraufbeschwört. Es ist die Unzulänglichkeit der menschlichen Verhältnisse, die Unvollkommenheit der Welt, die in einem „Augenblick der Liebe" vollkommen scheinen mag, die aber unvollkommen bleibt, so lange es für Menschen, für echte zwischenmenschliche Bindungen aus der Kraft der Liebe zu spät sein kann.

Gerd Gaiser

BIOGRAPHISCHE DATEN

Gerd Gaiser ist am 15. September 1908 in Oberriexingen an der Enz (Württemberg) geboren. Er studierte an den Kunsthochschulen Stuttgart und Königsberg und lebt als Studienrat, als Kunsterzieher in Reutlingen. Nach sechsjähriger Soldatenzeit trat er schriftstellerisch hervor, 1949 erschien „Zwischenland", 1950 der Roman „Eine Stimme hebt an". 1953 erregte er Aufsehen mit dem Roman „Die sterbende Jagd", der das Schicksal eines deutschen Jagdgeschwaders im zweiten Weltkrieg behandelt. 1955 brachte Gaiser die Rahmengeschichte „Das Schiff im Berge" heraus, 1956 die Erzählungen „Einmal und oft" und 1958 den Roman „Schlußball".

BRAND IM WEINBERG

Die Erzählung stand ursprünglich in dem Roman „Eine Stimme hebt an", der das Schicksal des Heimkehrers Oberstelehn darstellt, der sich nach dem Kriege im Leben zurechtzufinden sucht. Er ist auf dem Wege zu seiner Frau, die er im Kriege unbesonnen geheiratet hat und nicht mehr liebt, von der er aber auch weiß, daß er sie verloren hat. Er muß sie aufsuchen, „gesetzliche Ordnung muß sein.

Aber allzu sehr eilt es nicht." Gaiser hat das Kapitel „Brand im Weinberg" aus dem Roman gelöst und mit anderen Erzählungen im Bande „Zwischenland" vereinigt.
Ein Zufall hat den Heimkehrer ohne Heimat, Oberstelehn, in das schwäbische Städtchen Irrnwies verschlagen. Dort hat er einmal ein paar Jahre die Schule besucht und auch später geschäftlich zu tun gehabt. Er glaubt, daß er sich hier zurechtfinden wird. Seine Heimkehr ist eine Irrfahrt, er zieht planlos umher, kommt zu muffigen Verwandten, die ihn bald wieder aus dem Hause graulen, er kennt das Land nicht, in das er kam, er will auch nicht in einen der Berufe zurückkehren, „deren Knecht er einst gewesen war." Er hatte einst eine Wohnung, eine Frau und ein Kind, aber die Wohnung ist zerstört, das Kind ist tot und die Frau ist an einen anderen Ort gezogen, wo sie neue Leute kennen lernte. Das bereitet ihm keinen sonderlichen Schmerz, er will auch kein Mitleid deshalb, sie kannten sich zu wenig, als die Kriegsheirat geschlossen wurde.
Im „Goldenen Rad" in Irrnwies wollte man ihn anfangs nicht aufnehmen, man traute seiner umgefärbten Uniform nicht. Aber eine Handvoll Zigaretten öffnete ihm Türen und Gemüter. Am frühen Vormittag ist er auf eine Anhöhe gestiegen und schaut von einem verfallenen Sportplatz hinab auf das Städtchen. Zwei junge Burschen kommen mit Werkzeug, um Ordnung zu schaffen. Als sie ihn auffordern, mitzuarbeiten, faßt er sogleich an. Beim Werken fragt er nach diesem und jenem Bewohner des Städtchens, kommt dabei auch auf Neß Kämmerer, die er einmal liebte, zu sprechen. Er erfährt, daß ihr Vater gestorben ist und sie in einer Drogerie arbeitet. Er hört auch einigen Klatsch über sie, aber dann reden sie lieber vom Fußball. Als sie heimgehen, raten ihm die Burschen, es am Abend im „Löwen" zu versuchen, wo es Bier und, wenn man Glück habe, auch einen Wein gebe. Oberstelehn gibt eine halbe Zusage.
Am Abend trifft er Neß am Stadtrand und begleitet sie auf ein nahegelegenes Dorf, wo sie bei Landkundschaft einspricht, um Bauernbrot und Geräuchertes zu holen. Sie lädt ihn zum Essen ein und erzählt von ihrem Geschick. Große Pläne, die ihr Vater mit ihr hatte, sind nicht gereift, sie hat noch ihr Zimmer und das Gartenhäuschen am Wengertweg, sie ist im Geschäft und lebt. Vor der

Stadt trennen sie sich. Als es dämmert, hat er keine Lust, im unfreundlichen Wirtshaus zu bleiben, er schlägt den Weg zum Alten Wengert ein, einer Anhöhe, auf der einst Weinbau betrieben wurde. Jetzt ist sie verfallen. Ein mildes gelbes Licht zieht ihn an, unversehens findet er sich am Gartenhaus des alten Kämmerer wieder, und dort trifft er auch Neß. Sie fordert ihn auf einzutreten, und obgleich er vermutet, daß sie einen anderen Gast erwartet, treibt ihn „eine lässige, landsknechtshafte Neugier zu sehen, wohin es triebe." Er bewundert die alten, wertvollen Möbel und die ebenso kostbare Bibliothek des alten Herrn, warnt Neß aber auch vor Dieben. In einem Versteck liegt auch noch Wein aus alter Zeit, sie trinken, rauchen und unterhalten sich über die Nachkriegsverhältnisse und ihre gemeinsamen Bekannten, die gefallen oder vermißt sind. Einer von ihnen, der tot ist, war mit Neß verlobt. Auch hier erkennt Oberstelehn Schatten der jüngsten Erinnerung. Der Wein und die Gegenwart des schönen Mädchens überwältigen ihn. Er stößt die Tür auf und tritt ins Freie. Er träumt, im Spiel der Glühkäfer die Vision eines Opfers der Unterirdischen zu haben, in das ein Mensch einbezogen wurde, und das nun traurig und kläglich ausgeht. Plötzlich hört er Schritte und Schläge. Ein Mann entfernt sich, ein zweiter wurde ganz nahe seinem Standort niedergeschlagen. Aber dieser will keine Hilfe, er will nicht gesehen werden, er verlangt von Oberstelehn, daß er über alles, was er beobachtet hat, schweigt. Dem Heimkehrer ist das gleichgültig, er hat zu anderen Dingen schweigen müssen. Als er in das Haus zurückkommt, findet er Neß zusammengesunken unter dem Fenster am Boden, wie einen Menschen, der etwas gesehen hat, womit er nicht fertig werden kann. Er warnt sie erneut, aber sie erklärt, daß ihr niemand helfen kann. Trotz seiner Bemühungen stellt sich die frühere behagliche Stimmung zwischen ihnen nicht wieder her. Sie wünscht, daß er heimwärts mit ihr einen Umweg macht. Als sie am Fuß der Anhöhe zurückblicken, sehen sie, daß das Gartenhäuschen brennt, schon fast ausgebrannt ist. Aber Neß antwortet nicht, als er sie darauf hinweist, „ihre Traurigkeit schien überfangen von anderen Traurigkeiten". Noch einmal versucht sie es mit der Erinnerung an übermütige Verspieltheiten ihrer ersten Verliebtheit. Aber es geht nicht, „man kann nichts nachholen". Im Städtchen brennen nur noch wenige Lichter. Oberstelehn empfindet plötzlich, daß nichts Trauliches und Tröstliches von ihnen ausgeht, „nicht die tiefe Lust, in der ihr Trost ersehnt worden war durch lange Jahre der Schwärze und der Erstickung." Das Städtchen und seine Menschen sind ihm fremd, ihm scheint, daß sie nicht groß verloren haben, daß jeder nur halten und vermehren will, was er hatte. Auf dem Marktplatz gehen sie auseinander, sie fühlt, daß er morgen nicht mehr da sein wird. Beim Morgenkaffee erfährt er, daß das Gartenhaus geplündert wurde. Wahrscheinlich um die Spuren zu verwischen, haben die Einbrecher das Haus bis auf den Grund niedergebrannt. Er hört es ohne Teilnahme. Als an der Hauptstraße die Rolläden der Geschäfte geöffnet werden, ist er schon weit weg: „Stark müssen in der Welt noch die Lockungen sein, wenn ein Mann sich frühe davonmacht, unausrottbar die Zuversichten; aber kalt sind die Straßen".

Oberstelehn ist kein Verzweifelter, er klagt nicht bitter an wie Borchert, aber er ist heimatlos geworden, er ist in ein Land gekommen, das ihm fremd ist, das voller Erinnerungen, aber dennoch anders ist. Erinnerungen haben keine bindende Kraft mehr, seitdem eine Welt in furchtbaren Ungewittern untergegangen ist. Er möchte sich zurückfinden, doch der Weg ist ihm unbekannt, alles Gewesene ist unwirklich fern. Gaiser erzählt nicht zu Ende, es gibt nur ein Nebeneinander, kein echtes Mit- und Füreinander. Jeder muß mit sich selbst fertig werden, keiner kann dem anderen wirklich helfen. Hoffnungen erweisen sich als Illusionen oder Träume. Oberstelehn will wissen, was der Krieg übrig ließ, er findet nichts, woran er einen neuen Beginn knüpfen könnte. Er sieht, daß auch Neß von tiefer Traurigkeit befallen ist, aber er kann ihr nicht helfen, er kann nicht einmal ihr Leid ergründen.

Aber dieser Heimkehrer ist nicht hoffnungslos. Gaiser sagt von ihm: „Oberstelehn befand sich in der Überlegenheit eines Menschen, der die Dinge vergleichsweise leicht besteht, weil er sich zu einer düsteren Vorstellung von ihnen entschlossen hat." Seine Ratlosigkeit und Heimatlosigkeit sind der Inhalt der Erzählung, die einen Tag seines Wanderlebens, das nicht zurückführt in die einstige bürgerliche Ordnung, herausschneidet. In ihm ist, noch ihm selber kaum bewußt, der Wille, das Leben irgendwie zu meistern. Er ist darüber hinaus bereit, anderen zu helfen. In der Erzählung kommt er freilich nicht dazu, auch wo Hilfe gebraucht wird, steht er hilflos und mit leeren Händen daneben. Der Oberstelehn des Romans aber wird sich am Ende auf ungeliebte Pflichten besinnen, nicht den Weg in die verlorene Vergangenheit zurück, aber den in ein tätiges Leben finden.

DU SOLLST NICHT STEHLEN

Die Erzählung ist der Sammlung „Einmal und oft" entnommen. Es geht um die Messingfigur der Meerestochter Halimede. Der Bildhauer hatte sie einst für seine Tochter Mette angefertigt, verkaufen konnte er sie nicht. Jetzt hat der Vorstand der Gewerbehalle sie für seine Ausstellung von Rasen- und Wassersportartikeln ausgeliehen. Sie mußte natürlich versichert werden. Zwar meinte der Hausverwalter, Kunstfiguren würden nie gestohlen. Aber der Vorsteher, der es gut mit dem Bildhauer meint, fordert von ihm die Angabe des Wertes, und dieser sagt: zweitausendvierhundert. Er glaubte gewiß nicht, daß er die Figur für diesen Preis verkaufen könnte. Aber der Betrag von zweitausendvierhundert ging ihm im Kopf herum. Er entsprach der Summe, die für eine Operation und Nachbehandlung Mettes in der Spezialklinik in Wassergellheim zur Beseitigung einer fortschreitenden Lähmung veranschlagt war. Der Eingriff mußte bald vorgenommen werden, aber er hatte das Geld nicht.

Eines Tages läßt ihn der Vorstand der Ausstellung rufen und teilt ihm mit, daß Halimede gestohlen worden ist. Tröstlich ist dabei nur, daß die Versicherung den Schaden ersetzen, also zweitausendvierhundert Mark bezahlen muß. Gutherzig tröstet der Vorstand: „Ich kann ermessen, daß einem so ein Stück schwer vom Herzen geht, aber ich gönne Ihnen den Diebstahl, denn mit einem Verkauf konnten Sie nicht rechnen. Sie werden das Geld brauchen können." Der Bildhauer aber ist aufgefahren, ihn beherrscht nur der eine Gedanke: „Ich kann Mette nach Wassergellheim schicken."

Doch die Sache läuft weiter. Eines Abends kommt ein unangemeldeter Besucher zum Hausverwalter in die Küche und bringt die gestohlene Figur zurück. Heimlich hat er sie unter dem Mantel aus der Ausstellung fortgetragen. Es war sein erster Diebstahl, der ihn nicht mehr zur Ruhe kommen ließ. Sein Gewissen schlug. Er ist bereit, für seine Tat zu büßen, obgleich er Beamter ist. Der Verwalter ist keineswegs beglückt von dieser Wendung der Dinge, er kennt die schlechte Finanzlage des Bildhauers. Er stellt dem Mann vor, welche Nachteile die Rückgabe der gestohlenen Figur für den Bildhauer und sein armes Kind haben muß. Wenn der liebe Gott ihm eingegeben hat, die Figur zu stehlen, so hat er sicher auch gewollt, daß er sie behält. Wenn er die Figur unbedingt zurückgeben will, soll er die zweitausendvierhundert Mark auf den Tisch legen. Er hat sich eingemischt und kann auf diesem Wege nicht ein anderer Mensch werden. Was geschehen ist, macht man nicht mehr ungeschehen.
Die Figur bleibt verschwunden. Da kommt der Direktor der Versicherungsgesellschaft zum Vorsteher und spricht den Verdacht des Versicherungsbetruges aus. Der Dieb gehört einer Gemeinschaft an, deren Angehörige einander ihre Sünden bekennen. Ein Angestellter der Versicherung gehört auch dazu, und ausgerechnet ihm hat der Dieb bekannt, aber auch erzählt, daß er die Figur zurückgegeben hat. Zufällig hat der betreffende Angestellte diesen Versicherungsfall bearbeitet. Der Hausverwalter wird befragt, er streitet alles ab. Aber der Versicherungsdirektor läßt nicht locker, ihm ist der biedere Mann nicht gewachsen, er muß gestehen, daß er die Figur in seinem Holzstall versteckt hat. Am ersten Abend hat er den reuigen Dieb tatsächlich überredet, das Ding wieder mitzunehmen. Aber am übernächsten Morgen stand das Paket mit der Figur auf der Schwelle. Da sagte er sich: „Jetzt bin ich's, der es tun muß," und packte die Figur in seinen Holzstall. Er wollte ein gutes Werk tun, er hatte nur das Gute im Kopf, aber das Gute sieht niemand an in der Welt. Auch der arme Bildhauer sieht es nicht an. Sein Kind kann nicht nach Wassergellheim fahren. Als der Vorstand meint, daß er ihn gern beglückwünschen würde, weil unrecht Gut nicht gedeihe, faßt er das anders auf, als es gemeint ist. Er hat gegen Kriegsende nämlich das Metall, aus dem er die Figur anfertigte,

aus einem bei einem Luftangriff ausgebrannten Lastwagen genommen. Der Vorstand kann ihm nur raten, sich einen Job zu suchen, der etwas einträgt.
Es gibt jedoch eine Doppelung der Ereignisse, und beim zweiten Male war Halimede unter ganz anderen Umständen gestohlen. Die Ausstellung mußte zwei Tage früher, als geplant, geschlossen werden. Ein Arbeiter, der den Block, auf dem die Figur stand, abbauen sollte, nahm sie herunter und stellte sie zu Boden. Jemand rief ihn zur Hilfeleistung ab, er vergaß Halimede. Da war auch eine Bande von Zwölf- bis Vierzehnjährigen, die sich die Haie nannte. Im allgemeinen begnügte sie sich damit, eine Bande zu sein und hier und da etwas Buntmetall anzuschaffen, um es zur Aufbesserung der Kasse zu verkaufen. Am Abend des Tages, an dem die Ausstellung abgebaut wurde, kam ein kleines Bürschchen, das sich seit einiger Zeit bemühte, in die Bande aufgenommen zu werden, in den Hai. Es hatte etwas zum Einstand zu bieten. Ein Wagnis war auch dabei, es hatte Halimede den Leuten zwischen den Beinen weggeholt, aber nicht geklaut, das Ding stand bloß so herum. Die Haie rätseln, was es sein könnte, sie einigen sich dahin, es sei irgendetwas von der Wasserleitung oder vom Treppengeländer. Der Oberhai hat den klugen Einfall, das Ding mit einer Metallsäge zu zerlegen und die Stücke bei verschiedenen Althändlern zu verkaufen. Und so wurde Halimede, die so unbekannte Meerestochter, wieder zu einem Betrag von zweitausendvierhundert Mark, wovon die Haie natürlich nichts wußten. Ihre Kasse erfuhr eine kleine Aufbesserung, das eifrige Bürschchen wurde ein Hai und Mette fuhr nach Wassergellheim.
Manchmal kann auch das Böse gute Folgen haben in dieser unvollkommenen Welt. Unrecht Gut kann auch Segen stiften, es kann einem Kind die Gesundheit wiedergeben, wenn auch auf Umwegen. „Mit dem Guten geht es nicht zu in der Welt“, sagt der gutherzige Hausverwalter. Die einfache Rechnung von Gut und Böse, Schuld und Sühne geht nicht immer auf. Die Wiedergutmachung des Diebstahls bedeutet für ein Kind Verhängnis. Das berührt die moralische Ordnung nicht, aber ihre einfachen und eindeutigen Begriffe können in Widerspruch treten zur widerspruchsvollen Welt, zu den unvollkommenen Verhältnissen des Lebens. Sie sind nur ein Teil der

wahren Ordnung, sie setzen auch soziale Ordnung voraus, in der es jedem möglich ist, sich selbst zu helfen. Das Böse wurde hier zur Wohltat, weil es die soziale Unordnung überspannte, zur Rettung des Kindes Mette führte. Es wird jenseits der moralischen Ordnung eine andere Ordnungsmacht spürbar, die nicht die moralische Ordnung aufhebt, aber doch „auf krummen Linien gerade zu schreiben" vermag. „Die Haie in ihrem Dunkel vollbringen im Handumdrehen, was die obere Welt nicht vermochte." Man sollte diese Erzählung überhaupt nicht allzu streng unter die moralische Lupe nehmen, sie ist im Kern eine gutmütig und wohlwollend humoristische Darstellung der Unvollkommenheit menschlicher Zustände, in die aus der Unvollkommenheit der dazu berechtigten unge- und unerzogenen Jugend ein Stück Gerechtigkeit und Glück kommt.

Elisabeth Langgässer

BIOGRAPHISCHE DATEN

Elisabeth Langgässer ist am 23. Februar 1899 zu Alzey a. Rh. geboren und am 25. Juli 1950 in Bergzabern gestorben. Sie war Lehrerin, einige Jahre im Schuldienst und seit 1927 in Berlin schriftstellerisch tätig. 1935 heiratete sie den Philosophen Wilhelm Hoffmann. 1936 wurde über sie als Halbjüdin Berufsverbot verhängt. Sie begann als Lyrikerin mit „Wendekreis des Lammes" (1924) und „Tierkreisgedichte" (1935). Ihr Roman „Das unauslöschliche Siegel", der die Überwirklichkeit des Taufsakramentes bei einem getauften Juden darstellt, rückte sie schlagartig 1946 in die Reihe der meistbeachteten deutschen Schriftsteller. Ungewohnt war die Freiheit, mit der hier im religiösen Roman das Sexuelle gezeichnet wurde. Unter den weiteren Werken war „Märkische Argonautenfahrt" ein großer Erfolg.

DIE ZWEITE DIDO

Aus Aurelius, dem gefeierten Lehrer der Rhetorik und stadtbekanntem Lebemann Karthagos, wird Augustinus, der Asket und Kirchenlehrer. Monika, seine Mutter, steht innerlich und äußerlich neben ihm, sie ringt um seine Seele. Im Augenblick schwerster innerer Erschütterung aber muß er allein sein, fluchtartig verläßt er Karthago, die Mutter bleibt allein zurück. Diese Bekehrung wird in dieser Erzählung aber höchst unernsthaft und geradezu frivol im Gespräch zweier Dirnen, die nicht das Geringste davon verstehen, berichtet, der Tänzerin Daphne und ihrer Freundin Claudia, einer molligen Witwe, die Männer nur danach abschätzt, ob sie sich leicht ausnehmen lassen. Bei der Kosmetikerin überbrücken sie die langen Wartezeiten bis zum Trocknen der Haare und der Nägelfarbe mit losem Plaudern. Aurelius ist für sie auch nur ein Mann, der großzügig ausgibt, der Umgang mit ihm bietet aber immerhin den Vorteil, daß er gebildet und erfahren ist. Daphne hatte sich an ihn gemacht, aber er ist verschwunden, ihr und der Mutter „durchgebrannt".

Es geht recht modern zu in diesem Karthago. Zahlreiche Anachronismen und der immer wieder auftretende Slang leichter Damen rückt das Geschehen in die Gegenwart. Daphne hat sich mit Aurelius in der Persephone-Bar getroffen, wo ein Freund vor einer Seereise Abschied nehmen will. Was dieses Lokal trotz seiner gepfefferten Preise in Wirklichkeit ist, drückt sie recht drastisch aus. Noch immer ist die Tänzerin überzeugt, daß sie auf dem besten Wege war, das Herz und nebenbei auch die Verfügungsgewalt über das Geld des berühmten jungen Mannes zu gewinnen. Claudia glaubt nicht recht an den halben Erfolg der Freundin. Sie hat mit Monika gesprochen und teilt ihre Meinung, daß die Abreise des Freundes nur ein Vorwand war. Monika war die ganze Sache nicht geheuer, so ging sie zum Hafen, wo das Schiff sich bereit machte, am kommenden Morgen abzufahren. Ihr schien, daß auch das Gepäck ihres Sohnes verladen würde. Deshalb suchte sie ihn in der Persephone-Bar auf, wo sie „jeder Zoll eine Göttin" auftrat. Sie konnte sich davon überzeugen, daß Aurelius sich gut mit Daphne unterhielt. Claudia ist gewiß, daß auch diese Zärtlichkeit nur Schein war, nur seine wahre Absicht verhüllen sollte, nämlich seine Flucht. Daphne war der Köder, mit dem er die Mutter an seine Angel zog. Daphne rast vor Ärger und Enttäuschung. Sie will es nicht wahr haben, daß sie nur Mittel zum Zweck war. Aurelius hat ihr, als die Mutter fort war seine geheimsten Gedanken offenbart. Er redete von der sich auflösenden alten Welt, vom römischen Staat, der am Ende sei, und einem anderen mystischen Reiche, das über kurz oder lang seine Herrschaft antreten werde Dafür hat Daphne auch eine natürliche Erklärung: die Vandalen rücken unaufhaltsam vor, niemand weiß zu sagen, wann sie auch Karthago überrennen. Claudia ist durchaus bereit, die Bedeutung dieser Eroberung zu erkennen, allerdings vom Standpunkt der gewinnsüchtigen Dirne her. Die blonden Barbaren sind hübsch und gutherzig und vor allem leicht auszunehmen. Aurelius sprach weiter von Erdkatastrophen, vor

allem von einer großen Flut; bald war es das Meer, bald der Mutterschoß, aus dem die Zukunft steigt. Das erklärt Claudia bildungsstolz aus seinem Manichäertum, den Manichäern bedeuten der Mutterschoß und das Meer dasselbe. Überhaupt haben sie es an sich, mit Einfällen und mythologischen Redensarten um sich zu werfen. Daphne glaubt nicht an Redensarten. Sie war betrunken und verwirrt, aber sie erinnert sich genau, daß er davon sprach, daß er sterben und wiedergeboren werden müsse, daß seine Mutter ihn wiedergebären müsse. Sie ist noch angstvoll, aber wenn er unter Schmerzen wiedergeboren ist, wird sie sich freuen. Als er das gesagt hatte, legte Aurelius den Kopf auf den Tisch und weinte. Der Freund war längst nach Hause gegangen. Schließlich machte auch sie sich davon.
Claudia ist einige Stunden später, als sie Fische einkaufen ging, Monika begegnet. Sie lag auf den Knien und streckte die Arme, wie ihr schien, verzweifelt über das Meer aus. Es war kaum das Nötigste von ihr zu erfahren, Claudia fürchtet, daß sie verrückt wird. Über dem Geplauder hat die Kosmetikerin ihre Arbeit beendet. Die Haare müssen noch trocknen, ehe die Wickel herausgenommen werden. Daphne blickt hinaus auf das Meer. Eine hohe Gestalt schreitet vom Meer her auf die Stadt zu, der Wind bläst ihre Schleier beiseite und enthüllt „das klare, strenge Gesicht einer mächtigen Muttergöttin" Die spottlustige Claudia hat schon einen — wie sie glaubt — lustigen Vergleich. Monika ist „unsere zweite Dido". Aeneas ist fort, er hat sie alle wieder einmal dem Untergang preisgegeben Aber Monika lächelt schon wieder, sie wird sich gewiß nicht umbringen. „Diese Christen ...", sagt Claudia nachdenklich, ... „ich begreife sie nicht."
Die Erzählung gibt natürlich keine Geschichte. Befremdend und für manchen das Lästerliche streifend ist die gewagte Wiedergabe eines großen religiösen Ereignisses, der Umkehr und Berufung des Augustinus, durch das Gespräch zweier eindeutiger Dämchen, die beide nicht intelligent genug sind, irgendwelche Zusammenhänge zu begreifen. Zwar erfaßt die mollige Witwe Claudia die Tatsachen schneller und sicherer als die temperamentvollere, sinnlichere Daphne, die sich vom Rausch aus Wein und Verliebtheit gern fortreißen läßt, die nie eine Niederlage einsehen, geschweige denn

zugeben würde. Bewußt wird der Gegensatz zwischen den Erzählerinnen und dem erzählten religiösen Geschehen noch dadurch gesteigert, daß mit einigen ironischen Anachronismen und Modewörtern der Lebewelt von heute der Stoff aktualisiert wird. Zwei Welten stehen einander unvereinbar gegenüber, sie berühren sich aber in gewissen Punkten, sie existieren in einer Einheit. Keine der beiden spiegelt sich direkt oder verzerrt im anderen. Die beiden Erzählerinnen sind ganz dem Diesseits, seiner untersten, bequemsten und gewöhnlichsten Seite zugewandt, Monika ist eine Heilige, die um die Seele des Sohnes bangt und ringt. Aber sie leben in der gleichen Stadt miteinander, kaufen auf demselben Markt ein, führen Gespräche miteinander. Der Mensch lebt im Spannungsfeld zwischen dem Grobsinnlichen und Materiellen einerseits und dem Erhabenen, Göttlichen und Heiligen andererseits. Daphne und Monika, Dirne und Heilige sind die Pole, die auf den Menschen anziehend wirken. Aber der Mensch ist kein Mechanismus, der nur den Gesetzen von Anziehung und Abstoßung gehorcht. Er ist ein religiöses Wesen. Der Zufall kann ihn für eine Weile oder dauernd in den Bereich des ihm nicht gemäßen Poles bringen. Aber er hat die Kraft aus sich oder durch Gnade, seinen richtigen Platz zu finden. Das gilt auch für Völker. Elisabeth Langgässer stellt das Geschehen auf einen bewegten historischen Hintergrund, den Zerfall des römischen Reiches und das Übergreifen der germanischen Stämme in der Völkerwanderung auf Afrika. Alles steht im Übergang, im Wandel. So wie die Parallele zum Einzelfall Augustinus, so steht auch die Parallele zur Gegenwart dahinter. Der Mensch muß sich entscheiden. Claudia entscheidet sich für das bequeme Abfinden mit der Lage, ob Karthager oder Vandalen, die Hauptsache ist, sie lassen sich leicht ausnehmen. Augustinus aber findet den Weg zum Gottesstaat.

GLÜCK HABEN

Die Erzählung ist dem Bande „Torso" entnommen. Sie gehört zu den Werken der Dichterin, die sich mit der Nachkriegszeit und ihren Folgen für die entwurzelten, heimatlos gewordenen, notleidenden Menschen befassen. Aber das geschieht unter Verrückten.

Der Schauplatz ist die Gartenbank eines ländlichen Sanatoriums, das gleichzeitig Altersheim ist. Schon hier setzt die Satire ein: man braucht nach einem anständigen Kriege keine Altersheime mehr, da stirbt man. Der Erzähler wartet auf einen Bekannten, der kurz vor Kriegsende mit einem Nervenschock aus dem Keller seines zerstörten Hauses gezogen wurde. Sein Kopf geht seitdem wie der Perpendikel einer Uhr hin und her. Die Heilanstalt ist „ein wahres Paradies", ein märkisches Landschloß mit schönem Park: „Wir wünschten uns alle damals so etwas ähnliches, um uns vier Wochen auszuruhen." Neben dem Erzähler oder Berichterstatter sitzt eine Frau von schwer zu bestimmendem Alter, deren Äußeres einwandfrei erkennen läßt, daß sie verrückt ist. Sie ist schon mitten im Reden, als der Besucher sich zu ihr setzt, sie läßt sich durch keinen Fremden stören. Sobald nur eine Zwischenfrage sie unterbricht, fährt sie böse auf. Zum Glück ist eine Schwester in der Nähe, sonst wäre die Frau zum Fürchten.
Sie erzählt sich selbst ihr Leben. Vom Standpunkt der Katastrophe des Kriegsendes aus gesehen ist es ein recht durchschnittliches, tausendmal vorkommendes Leben. Dabei werden scheinbar belanglose kleine Jugenderlebnisse oft lang ausgesponnen, wichtige Ereignisse aber, die ihr Leben erschütterten, mit einem Satz abgetan. Die Erinnerung bewahrt nur summarisch die langen Perioden des Glückes, sie erhält aber genau die vereinzelten Glückszufälle. Es ist nichts Besonderes an dieser Lebensgeschichte. Es ist die eines wohlerzogenen Mädchens aus gutem Hause, das treu behütet glücklich aufwächst, brav dem bürgerlichen Lebensideal nacheifert, Tennis spielen und Tanzen lernt, auf Bälle geht, das im übrigen, ohne sich groß darum mühen zu müssen, tadellos die höhere Schule absolviert und auch sonst Erfolg hat. Aus dem Mädchen wird die Frau eines Mannes aus besseren Kreisen, der begabt und fleißig zugleich ist und rasche Fortschritte im Beruf macht, vom Gericht zur Industrie wechselt und ein hochangesehener Mann wird, der sich sehr wohl ein Gut in der Romintener Heide mit Jagd und Fischerei leisten kann. Sie haben zwei Kinder. Als der Junge achtzehn und das Mädchen sechzehn Jahre alt sind, stirbt der Vater. Bald darauf bricht der Krieg aus. Anfangs ist alles noch wohlgeordnet. Der Sohn wird Soldat bei einer Nachrichtentruppe hinter

der Front, die Tochter wird Arbeitsdienstführerin, denn irgendwie sind alle dem Führer verpflichtet. Alles scheint gut zu gehen. Aber der Ehrgeiz lockt den Sohn, das Ritterkreuz ist sein Ziel. Er meldet sich zu den Fallschirmjägern und fällt bei Monte Cassino. Die Tochter bringt ein uneheliches Kind von einem SS-Mann heim, hat aber Glück, weil ein Schlipsoffizier, ein Flieger, sie heiratet, der allerdings dann auch bald fällt. Es kommt die überstürzte Flucht nach dem Westen. Die Tochter wird von einem Zug überfahren, das Kind erfriert und wird mit anderen vor Frost erstarrten Kindesleichen aus dem Zuge geschmissen. Die Flüchtlinge kommen nach Berlin in ein Lager. Sie haben Glück, fast ohne Schuß wird der Vorort den Russen übergeben. In der Nähe liegen verlassene Lager, in denen noch Konserven aufgestapelt sind. Als diese Lager erschöpft sind, halten sich die Flüchtlinge an die Kartoffelmieten. Andere aber kommen der jetzt zu sich selbst Sprechenden zuvor. Sie glaubt, einen Kessel mit geschälten Kartoffeln für sich gerettet zu haben. Dabei hat sie das widerliche Erlebnis, das sie um den Verstand bringt.
Wieder beginnt sie zu schreien: „Scheißleben!" der Besucher aber, der die Geschichte wiedergibt, wird angesteckt und schreit auch mit. Der Patient mit dem wackelnden Kopf kommt endlich auch und schreit mit, die Wärterin greift ein, sie schlagen auf sie los, schließlich schlägt jeder sinnlos auf jeden. In ironischer Umkehr endet die Erzählung dann recht gemütlich. Der Besucher darf vier Wochen dableiben, das Wetter ist schön, er hat gutes Essen und viel Ruhe. Mit der dicken Krankenschwester, auf die er vorher so sinnlos eingeschlagen hat, freundet er sich an. Sie war früher mit einem Gasmann verlobt. „Aber" so schließt der Erzähler, „diese Geschichte steht auf 'nem anderen Blatt." Dieselbe Wendung gebraucht er auch am Anfang, als er sich anschickt, die Geschichte des Mannes mit dem Nervenschock zu erzählen. Es gibt für ihn viele berichtenswerte Schicksale, die alle gleich belanglos sind vor dem großen Weltenschicksal. Hier berichtet er nur von dem einen, das ihn selbst ein wenig verrückt machte und das doch für die damalige Zeit ziemlich alltäglich war.
Natürlich entspricht der Ich des Erzählers nicht der Dichterin. In der Kurzgeschichte nimmt der Dichter immer einen Standpunkt

außerhalb des Geschehens ein. Er beobachtet eine Episode des Lebens und berichtet sachlich und schonungslos darüber. Er kommentiert sie, wo er Neigung dazu verspürt. Der vorgeschützte Erzähler tut es, als er davon spricht, daß ihm die Verrückten nur im Sanatorium auffallen, solche Gesichter gibt es überall, die aber nicht alle verrückt sind, und alle Verrückten kann man nicht einsperren — „wo käme man sonst hin?" Nur durch Zufall ist diese Frau dem Erzähler im Gedächtnis haften geblieben. Es gibt so viel Unglück auf der Welt, daß man es beim besten Willen nicht behalten kann. Dieses einzelne Schicksal blieb haften, weil es ein ungutes Gefühl wachrief, das Gefühl einer eigenen Bedrohung. Der Erzähler ist im Grunde unfähig zu erzählen, er vermag ebenso wie die verrückte Frau keine Ordnung in seine Gedanken zu bringen. Trauriges, Tragisches, Ernstes und Belangloses, ja Groteskes stehen in seiner Erzählung nebeneinander, ohne daß eine Werteordnung sichtbar wird. Paul Dormagen, der die Kurzgeschichte 1959 in Schöninghs Reihe „Moderne Erzähler" (Band 10) herausgab, schreibt dazu: „Der Leser wird über ein Gefühl des Unbehagens nicht hinwegkommen, ein Gefühl, als werde ein Spiel mit ihm getrieben, das dem Ernst der Sache gar nicht angemessen sei."
Es klafft ein gewaltiger Abstand zwischen diesem zwar keineswegs einmaligen, sondern mit unbedeutenden Abwandlungen tausendfach vorgekommenen Geschehen und der kalten, seelenlosen Erzählung eines Mannes, der über den Schicksalen, die er beobachtete, stumpf geworden ist, für den eins so grau ist wie das andere: „Na ja. Aber diese Geschichte steht auf einem anderen Blatt." Das Selbstgespräch der verrückten Frau ist konzentriert, wenn auch das gewollte Mißverhältnis zwischen Episoden und Ereignissen eben die Werte verwischt. Ihrem verrückten Sinn ist das Dreirad, das sie als siebenjähriges Kind bekam, genau so wichtig wie das Glück ihrer Tochter, die trotz des unehelichen Kindes einen „Schlipsoffizier" bekam. Sie hat sich nicht abgefunden: „Womit unser Unglück eigentlich anfing, weiß ich heute nicht mehr genau." Sie hat aber keinen Orientierungssinn mehr. Das Unglück begann nicht allmählich, es brach mit dem Kriegsende schlagartig auf ahnungslose und selbstsichere Menschen herein. Es verhärtete die Menschen, so daß das Unglück einer Fehlgeburt und das Erfrieren eines Kindes auf der

Flucht, dessen Leiche dann, um Platz zu gewinnen, in den Schnee geschmissen wird, genau so wichtig oder unwichtig erscheinen wie das Auffinden einer Dose Konserven. Ein Irgendwer, der ebenso viel harte Erlebnisse hinter sich hat, der auch in Gefahr ist, das bißchen Vernunft, das er rettete, zu verlieren, berichtet davon, kurz, sachlich, im Jargon eines amtlichen Berichtes mit gelegentlichen kleinen Anmerkungen, aber unfähig, Zusammenhänge oder gar Hintergründe zu durchschauen. Dieser Kunstgriff aber macht die banale Geschichte zur Dichtung. Dormagen spricht von der „gewollten Inkongruenz von schrecklichem Geschehen und erschreckend banalem Erzählen aus der Perspektive des Jedermann, der gar nicht in der Lage ist, die Zusammenhänge zu durchschauen, die die Dichterin doch gerade enthüllen will." Aber diese Inkongruenz ermöglicht es, den Blick zu öffnen für ein unendliches und universales Elend, das als Folge des Krieges nicht nur Verantwortliche und Schuldige, sondern auch Unschuldige, Kinder und hilflose alte Leute traf. So kann die Erzählung als Aufruf zur Humanität aufgefaßt werden. Man darf allerdings auch nicht verkennen, daß sie dem Mißbrauch politischer Interpretation zur kommunistischen Propaganda nutzbar gemacht werden kann und wurde.

Paul Alverdes

DIE DRITTE KERZE

Biographische Daten: Paul Alverdes ist am 6. Mai 1897 in Straßburg geboren. Seine Jugend verlebte er in Düsseldorf. Er studierte Jura und Germanistik, erlebte den ersten Weltkrieg als Soldat und kam nach dem Kriege nach München, wo er sich 1922 als freier Schriftsteller niederließ. Hier gab er von 1934 bis 1944 gemeinsam mit Benno von Mechow die Zeitschrift „Das innere Reich" heraus. 1922 war er als Lyriker mit dem Band „Die Nördlichen" hervorgetreten. Von ihm erschienen mehrere Novellenbände. Berühmt wurde er durch die 1929 erstmals veröffentlichte Novelle „Die Pfeiferstube", die in einem Lazarett des ersten Weltkrieges unter Kehlkopfverletzten spielt. Alverdes war auch an verschiedenen Anthologien beteiligt. So ist die Erzählung „Die dritte Kerze" dem Werke „Der Widerhall", Ein Lesebuch aus unseren Tagen, ausgewählt von Paul Alverdes", Gütersloh, 1955, entnommen. Sein Lebenswerk ist recht umfangreich, es umfaßt Lyrik, Novellen, Anekdoten, Dramen, Märchen und Kinderbücher.

Die Erzählung „Die dritte Kerze" spielt in der Nachkriegszeit. Ein hartes menschliches Schicksal findet ein gutes Ende, das ist zusammengefaßt der Inhalt. Es geht aber auch um das Wesen der Mütterlichkeit, um die Prüfung und Öffnung eines vom Schmerz verhärteten Mutterherzens. Heinrich ist ein Flüchtlingskind aus dem Oderbruch. Seine Eltern sind verschollen, seine Geschwister sind von ihm getrennt worden, ob sie noch leben, weiß er nicht. Er ist in eine kleine alte Stadt am Niederrhein verschlagen worden. Die betreuende Behörde hat ihn der Wirtin „Zur goldenen Kugel" als Kellnerlehrling zugewiesen. Er trägt einen viel zu großen schwarzen Anzug und einen steifen Kragen, der ihm den Hals wundscheuert. Der Anzug stammt aus dem Nachlaß eines der beiden Söhne der Frau Schmitz. Sie sind aus Rußland nicht wiedergekommen. Aus der Erinnerung an die Söhne macht Frau Schmitz einen geradezu abgöttischen Kult. Ihr Zimmer wird sorgsam in Ordnung gehalten, im Winter brennt stets ein Feuer im Kachelofen, obwohl

keiner der Bewohner mehr zu erwarten ist. Der Besitz ihrer Söhne wird ebenso sorgsam beisammengehalten. Es war schon viel, daß Frau Schmitz den Anzug an Heinrich auslieh. Im übrigen behandelt sie das elternlose Kind hart, streng und unfreundlich. Vielleicht lenkt sie dabei ein unbewußter Groll gegen alle die Fremdlinge. Der Junge muß hart arbeiten und hört selten, nie aber von der Chefin ein freundliches Wort. Während das Zimmer der Söhne, die doch nie wiederkehren werden, behaglich und geheizt ist, hat Heinrich nur eine dürftige Unterkunft, eine Art Abstellwinkel unter dem Dach, wo er im Winter vor Frost zittert.
Mit aller Strenge ist der Winter auch an den Niederrhein gekommen. Die kleinen Flußläufe und Kanäle sind zugefroren. Da steigt in Heinrich die Erinnerung an die Heimat auf, auf deren Altwässern sie im Winter auf Schlittschuhen spielten. Sie waren Nordpolforscher oder Schiffer oder Flieger. Schwerelos trug das Eis sie dahin. An einem freien Nachmittag, der ihm zustand, wenn auch Frau Schmitz ihn nur ungern gewährte, gerät Heinrich an einen Eislaufplatz vor der Stadt. Musik erschallt aus einem Lautsprecher, fröhliches Treiben herrscht auf der Eisfläche. Den ganzen Nachmittag schaut Heinrich wie verzaubert zu und fühlt sich glücklich. An diesem Tage faßt er den Entschluß, der zunächst so böse Folgen hat und dann sein Leben zum Guten wendet. Auf dem Flur steht ein Schrank, in dem Frau Schmitz Erinnerungen an ihre Söhne, Spielsachen und Bücher aufbewahrt. Auch ein Paar Schlittschuhe ist darunter. Die will er einmal heimlich ausleihen. Freilich dauert es lange, bis er sich ein Herz faßt, die Angst vor Frau Schmitz hält ihn zurück. Am Heiligen Abend endlich wagt er es. Die Wirtschaft ist geschlossen, nur für den Abend erwartet Frau Schmitz einige einsame Stammgäste. Er geht nicht zum Eislaufplatz, das Geld für den Eintritt reut ihn. Weiter draußen vor der Stadt am Kanal findet er es fast wie zu Hause. Zum erstenmal fühlt er sich wieder grundlos froh, zieht erst bescheidene Kehren auf dem Eis hin und her, setzt dann aber zu einem wilden Eisgalopp an, worin er schon als kleiner Kerl ein Meister war. Im Dahinfliegen träumt er, er ist Nordpolforscher, der seine einsamen Spuren durch die Eiswüste zieht. Andere Bilder spielen dazwischen. Er begegnet den Heiligen Drei Königen, die um ihr Lagerfeuer sitzen, er sieht Eisbären über

den Schnee traben. Als er endlich umwendet, bricht das Eis unter ihm. Starr vor Entsetzen und Kälte steht er bis zu den Hüften im Wasser. Nur mit Mühe kann er sich herausarbeiten. Als er am Ufer steht, merkt er mit Schrecken, daß er einen Schlittschuh verloren hat. Nur einen Augenblick kämpft er mit der Versuchung, ihm den anderen nachzusenden und alles zu verschweigen. Dann arbeitet er sich, jammernd vor Kälte und Erregung, an die Bruchstelle heran. Das Eis gibt nach, er versinkt bis über den Schopf im eisigen Wasser. Er arbeitet sich hoch, muß aber noch einmal untertauchen, um den Schlittschuh zu fassen. Er wirft ihn ans Ufer, steigt selbst auf den Damm und setzt sich dann in Trab zur „Goldenen Kugel". Frau Schmitz sitzt hinter dem Schanktisch und liest die Zeitung, als ihr Lehrling verstohlen eintritt. Sie sieht seine völlig durchnäßten Kleider, auf denen Eiskristalle glitzern. Der Junge beginnt sofort mit der Arbeit, aber er zittert so sehr, daß ihm die Gedecke vom Arm rollen. Streng forscht sie nach und erfährt, daß er die Schlittschuhe ausgeliehen hat, einen verlor, aber wieder aus dem Kanal fischte. Heinrich vermag noch, ihr die Schlittschuhe zu zeigen, dann aber bringt er kein Wort mehr hervor, stumm und an allen Gliedern von Kälte geschüttelt steht er da, mit den Zähnen klappernd. Mit Frau Schmitz aber geht eine merkwürdige Wandlung vor sich. Sie hat sich wieder gesetzt, starrt auf den Jungen, als sähe sie ihn zum ersten Male, ringt die Hände und atmet schwer. Ihre Lippen zucken, wie ein Aufjammern unter wildem Schmerz bricht es aus ihr hervor: „Ach Gott, das Jungchen!" Dann kommt sie hervor und ist nur noch Fürsorge. Als Heinrich wieder zu sich kommt, findet er sich im warmen Bett in der Stube der Söhne. An den Hüften spürt er die Wärme tönerner Krüge mit heißem Wasser. Im Kachelofen brennt das Feuer, die Lampe ist mit einem Tuch verdeckt. Dunkel erinnert er sich, daß jemand — es muß Frau Schmitz gewesen sein — ihm Stück für Stück die nassen Kleider auszog, ihn abrieb, ihn zudeckte und ihm etwas Heißes einflößte. Darüber schlief er ein. Im Zimmer aber entdeckt er im Halbschlaf eine kleine, ganz schmucklose Tanne, in deren Spitze zwei weiße Kerzen schimmern. Als er wieder erwacht, ist es schon tiefe Nacht. Er sieht Frau Schmitz, deren Hand auf seiner Stirn liegt. Sie stopft ihm die Decke fest unter die Füße. Dann geht sie zu dem Weihnachtsbäumchen und steckt eine dritte weiße Kerze zu den beiden anderen auf seine Spitze. Als sie sich ihm wieder zuwendet, sieht er, daß sie geweint hat. Aber sie lächelt und nickt ihm heftig zu. Auch seine Lippen schürzen sich. Aber dann schläft er wieder unter ihrem Blick ein, und im Einschlafen weiß er: sie ist gar keine fremde Frau.

Der Durchbruch des Mütterlichen ist der Kern der Erzählung. Die Härte des Krieges und der Verlust der beiden Söhne haben ihr Herz erstarren lassen. Sie lebt nur der Erinnerung, wie ein eiserner Ring liegt es über ihrem Inneren. Das Unglück, das sie als Mutter traf, ist unüberwindlich. Gegen das fremde Kind ist sie zwar sachlich gerecht, aber streng und vor allem unnahbar. Nichts außer dem, was sie verloren hat, berührt sie noch. Ihm weiht sie eine Art Kult, sie lebt mit den Toten. Es bedarf der schweren und schmerzlichen Erschütterung durch das arme Kind, das ihr anvertraut ist und ihr nicht mehr als eine Sache war. Um eines Schlittschuhs willen setzte der kleine Heinrich sich der größten Lebensgefahr aus und ist glücklich darüber, daß er ihr den aus dem Eis geholten Schlittschuh zeigen kann. Ihre Verhärtung strahlte so sehr auf den Lehrling, der noch ein Kind ist, aus, daß er sie fürchtete, daß er lieber sein Leben wagte, als das ihr kostbare Erinnerungsstück verlor. Aber es war nicht Furcht allein. Instinktiv spürt die Mutter, daß in dem Kind, das selbst Eltern und Geschwister verloren hat, das einsam und freudlos lebt, ein tiefes Verstehen für ihr eigenes Leid lebendig ist. Mit Urgewalt brechen nun alle mütterlichen Gefühle, vor allem das Mitleiden mit dem Kinde auf. Im Sinnbild der dritten Kerze deutet sich scheu und rührend zugleich der Wandel an. Sie hat jetzt drei Söhne, in dem verlassenen Lehrjungen wurde ihrem Leben wieder eine mütterliche Aufgabe, die Verhärtung fällt ab, sie ist nicht mehr kinderlos.

Görge Spervogel

DER HECHTKÖNIG

Biographische Daten: Der Name des Dichters ist ein Pseudonym für Erich Schargorodsky. Er ist am 15. Oktober 1910 in Hannover geboren. Die Kindheit und Schulzeit verbrachte er in der Schweiz. In Hannover studierte er Architektur, wechselte aber den Beruf und war von 1934 bis 1936 journalistisch tätig. Bis zu seiner Einberufung zum Heer im Jahre 1939 lebte er als freier Schriftsteller und Übersetzer in der Künstlerkolonie Worpswede bei Bremen. Im Jahre 1942 ist er vor Leningrad gefallen. Von ihm erschienen 1938 der Roman „Graue Segel" und 1939 „Der Hechtkönig und andere Erzählungen". Spervogel übersetzte Werke Josef Conrads.

Die Erzählung ist eine Tiergeschichte, aber nicht im Sinne eines Hermanns Löns und seiner Nachahmer. Es wird kein Tier vermenschlicht, mit Verstand und Reflexion ausgestattet. Das Tier, der Hecht, spielt eine passive Rolle, das Verhältnis des Menschen zur Natur, zum Tier ist der eigentliche Inhalt der Erzählung. Es gibt eine schwer bestimmbare, nicht durchschaubare, geheime Bindung zwischen Mensch und Tier. Um sie zu spüren, muß man aber unbefangen, frei von Vorurteil und Habgier sein. Am ehesten ist diese Bindung — nach Spervogel — noch im Kinde lebendig. Leicht aber kommt der Wunsch, Herr über das Tier zu sein, ihm zu befehlen, es zu bekämpfen und zu besiegen, auch wo es sich nicht feindlich zeigt. Diese triebhafte Einstellung veranlaßt Kinder oft zu Grausamkeiten an Tieren, zu sinnloser Vernichtung, der dann plötzlich Reue folgt. Das steht aber zunächst ganz im Hintergrund der Erzählung, vordergründig ist sie eine Lausbubengeschichte von abenteuerlichen Jungen, die Gefahr und Kampf lieben.
Der kleine Theodor, den jeder im Dorfe Pickel nennt, ist der Held der Erzählung. Alle Spielkameraden sind auf dem Eise, er aber hat keine Schlittschuhe, seine Eltern sind zu arm. Da muß Pickel eben allein Eisenbahn spielen, und das tut er ausgiebig. Auf die Dauer aber wird es zu langweilig. Er überlegt, daß man auch in

Holzpantinen aufs Eis gehen kann. Also begibt er sich zu der überschwemmten und mit Eis bedeckten Flußaue und holländert allein. Behaglich betrachtet er sein Spiegelbild auf dem klaren Eis und spielt mit ihm. Aber dabei wagt er zuviel und fällt bäuchlings auf das Eis, an seiner Stirn bildet sich eine große Beule. Das Eis ist kristallklar, er kann bis auf den Grund sehen und sieht auch einen vom Eis eingeschlossenen Gelbrandkäfer. Auf dem Grunde liegt zwischen Schlamm und Dreck ein Holzpfahl, ein Baumstamm. Als Pickel aber genauer hinsieht, fährt er auf und reißt aus. Der Baumstamm besteht zu einem Drittel aus einer Krokodilschnauze, er ist der größte Hecht, den es je gegeben hat. An den Seiten hat er gelbe Flecke. Pickel hat den Hechtkönig gefunden. Er muß ihn haben. Sofort sucht er zwei Spielkameraden auf, die ebenso abenteuerlustig sind wie er. Sie sind gleich bereit, ihm zu helfen. Sie brauchen dazu eine Schlinge aus Kupferdraht und eine Kreuzhacke. Der Fisch sitzt fest im Eis, er muß leicht zu fangen sein. Heini besorgt Draht und Hacke, Krischan bringt vorsichtshalber seines Vaters Säbel mit, als sie sich am nächsten Tage ans Werk machen. Als sie aber bereits das Eis aufhacken, verliert Pickel die Lust. Er wendet verlegen ein, daß sie nicht wissen, was sie mit dem Fisch anfangen sollen und höchstens furchtbaren Krach erleben werden. Aber es ist zu spät, das Jagdfieber hat die beiden anderen gepackt, sie ruhen nicht, bis sie den eingeschlossenen Hecht mit der Schlinge aufs Eis geworfen haben. Das Tier kämpft verzweifelt, Krischan stolpert und gerät unter den Fisch, der unaufhörlich schlägt und zuckt. Pickel schlägt, um Krischan zu retten, mit der Kreuzhacke zu, kriegt dabei aber den emporschnellenden Schwanz des Hechts mit voller Gewalt ins Gesicht. Krischan, der jetzt befreit ist, macht mit dem scharfen Säbel dem Tier ein Ende.

Als der Hecht erlegt ist, gehen sie sinnlos umher, treten Eisbrocken in das Wasserloch, wissen nicht, was sie tun sollen. Krischan und Heini beschließen, daß der Fisch Pickel gehören soll, aber dieser rennt weg. Die beiden anderen nehmen den Fisch und tragen ihn in Pickels Vaters Holzstall. Unterwegs aber erwischt sie der Ortsvorsteher, der ihnen sagt, es sei Wilddieberei, er müsse den Fischereipächter verständigen. Als Pickel am nächsten Tage aus der Schule kommt, sieht er im Hofe des Vorstehers das Auto des

Pächters stehen. Der Pächter aber ist im Hause seines Vaters, wo die ganze Familie mit ihm auf der Diele versammelt ist. Drohend fragt der Pächter nach dem „Raubmörder" und Hechttöter". Pickel sieht Gefängnis, wenn nicht Schlimmeres vor sich. Als der Pächter nach einem Messer ruft, um dem Burschen den Hals abzuschneiden, glaubt Pickel sein letztes Stündlein gekommen. Daß alle Bemerkungen dem Hecht gelten, läßt ihn sein schlechtes Gewissen nicht ahnen. Er kann aus seinem Versteck auch erkennen, daß der Pächter vor Wut kocht. Pickel aber wird von seinen Geschwistern entdeckt und muß sich stellen. Als der Pächter sieht, welcher Knirps er ist, hält er seine Hände fest und verlangt, er solle sich etwas wünschen. Die Geschwister murmeln aufgeregt: „Schlittschuhe". Pickel jedoch spürt nur noch Reue und Bedauern. Wäre nicht Krischan gefallen, hätte er den Hecht nicht töten müssen. Der Pächter ist verstimmt über sein Schweigen, er läßt ihn los und zwei Silberstücke rollen auf den Boden. Die Kinder springen danach. Pickel aber ruft: „Liegenlassen!" Dann entreißt er dem Pächter den bereits abgeschnittenen Kopf des Tieres, packt den Schwanz und entwischt durch die Schuppentür. Er hastet zu der Stelle, an der sie den Hecht fingen. Das Wasserloch hat nur eine dünne Eishaut. Er schlägt sie auf und läßt dann den schweren Körper des Hechtkönigs langsam ins Wasser gleiten.
Es ist die realistisch erzählte Geschichte eines Jungenstreiches, die mit ausgeprägtem Verständnis für die Psyche solcher Dorfjungen wiedergegeben ist. Auch ein behaglicher Humor kommt zur Geltung in der Schilderung der Spiele des kleinen Pickel, in seinem Mißverstehen des Pächters. Aber es ist keine lustige Geschichte, sie wird hintergründig, wenn es um die Tötung des Tieres geht. Der Pächter spricht in humorvoller Übertreibung von „Raubmord", Pickel aber, der so innig mit der Natur vertraut ist, der noch an den Hechtkönig glaubt, fühlt sich schuldig. Das königliche Tier wurde sinnlos getötet, niemand hat Nutzen davon. Den Pächter ärgert am meisten, daß es nicht waidgerecht erlegt wurde. Pickel aber fühlt, daß er zu weit gegangen ist, als er das Jagdfieber der Gefährten wachrief, daß sie sich an der Natur versündigt haben. Ein Stück königlicher Natur ist sinnlos vergeudet, und er selbst mußte dabei zuschlagen, um den Freund aus der bösen Lage, in

die er gestolpert war, zu befreien. Er konnte die Vernichtung entfesseln, er tat es, weil der Kampf ihn lockte. Aber schon, als sie das Eis aufhackten, regte sich sein Gewissen, das Mitgefühl mit dem Tier wird lebendig: „In so hundsverfluchtkaltem Wasser muß der Hecht nun liegen!“ Er ist glücklich, als der Hecht scheinbar entkommen ist. Das, was er schließlich Mord nennt, kann er nicht verhindern. Er opfert jedoch seinen Teil daran, die Bewunderung der Gefährten, die Belohnung, er gibt das gemordete Tier seinem Element zurück. Gewiß ist das eine sinnlose Geste, aber sie ist von tiefer Symbolik. Niemand wird über das königliche Tier triumphieren.

Günther Spang

SEINE GROSSE CHANCE

Biographische Daten: Günther Spang ist am 16. Mai 1926 in Mannheim geboren. Er lebt in München. Bekannt wurde er als Verfasser von Kinder- und Jugendbüchern. Er veröffentlichte einen Roman „Der Millionär in der Seifenblase“, schrieb Kurzgeschichten und Hörspiele. Nach seinem Kinderbuch „Theodolinde, das Känguruh“ wurde ein Fernsehspiel gesendet.

Zwei Grunderfahrungen sind es, vor denen alle menschliche Selbstherrlichkeit zu Ende ist, die Schuld und das Schicksal. Manche große Chance bietet sich, die der einzelne nicht ergreifen kann, mag die Schuld bei ihm selbst liegen oder bei anderen, mag sie ihm auch von außen aufgezwungen sein, mag die Ursache ohne persönliches Verschulden seine Willens- und Tatkraft beeinträchtigen. Das Versagen durch fremde Einwirkung empfinden wir als Schicksal. Dieser äußere Zwang kann Krankheit oder soziale Rücksicht auf Menschen, die Fürsorge beanspruchen dürfen, sein, er kann auch einfach Geldmangel sein, der dadurch verursacht wird, daß der vom Schicksal Getroffene vorzeitig alles verschwendet hat. Doch auch Zufall, sinnloser und grundloser Zufall, kann den Menschen ins Verhängnis stürzen, für das niemand verantwortlich gemacht werden kann. Die Gegenwartssituation ist dadurch gekennzeichnet,

daß die Menschen kontaktlos nebeneinander leben, daß sie einander nicht verstehen und nicht bereit sind, dem anderen zu seiner großen Chance zu verhelfen. Die zwischenmenschliche Atmosphäre ist durch Mißtrauen, Neid, Eigennutz und Gleichgültigkeit getrübt. Wohl wird das Schicksal des anderen als Sensation erlebt, aber keiner kommt auf die Idee, daß er schuldig, mitschuldig sein könnte. Wenn er aber glaubt, für den anderen eintreten zu müssen, macht er oft die Erfahrung, daß sein guter Wille und vielleicht auch sein gutes Geld mißbraucht wurden.
Im Musikalienladen erfährt Wiese, der erfolgreiche Komponist, daß Sakowski und ein Mädchen, das mit ihm verbunden war, sich umgebracht haben. Er hatte so viele Schulden, der einst berühmte Pianist. Er hatte eine häßliche Geschichte mit einer Wechselfälschung, und seitdem klappte es mit den Konzerten nicht mehr. Wiese fröstelt, als er es hört. Ein Mensch ist an sich selbst zugrunde gegangen. Sakowski, der auch im heruntergekommenen Zustand immer wie ein Edelmann wirkte, der Mann mit dem kostbaren Ebenholzstock und seinem „hundstraurigen Schnorrerlächeln", mit seiner glorreichen Vergangenheit, er wäre zu retten gewesen mit fünfzig Mark. Vor einigen Tagen war er bei ihm und wollte fünfzig Mark leihen. Er hatte behauptet, er könne wieder spielen, irgendwo in der Provinz, dreihundert Mark würde man ihm dafür geben. Jetzt brauche er nur fünfzig Mark für die Fahrt. Einen Vorschuß könne er nicht erbitten, niemand dürfe wissen, wie seine finanzielle Lage sei. Wiese, der ihm schon öfters Beträge geliehen hatte, ohne jemals etwas davon wiederzusehen, hatte ihn als elenden Schnorrer fortgeschickt. Er verdächtigte ihn, das Konzert erfunden zu haben, um Geld zum Vertrinken zu haben. Jetzt fühlt Wiese sich schuldig an seinem Tode, für fünfzig Mark starb er und mit ihm das Mädchen, mehr sind zwei Menschenleben nicht wert.
In der Zeitung aber findet Wiese nichts von Sakowski, nur der Selbstmord des Mädchens wird berichtet. Ihm und auch der Frau in der Musikalienhandlung, von der er die Nachricht hatte, kommen Zweifel. Aber er unternimmt nichts, um sich zu vergewissern. Zur Beerdigung des Mädchens erscheint er verspätet. Es ist ein farbloses Begräbnis ohne Geistlichen oder Reden, mit armseligen Kränzen und zerfledderten Sträußen. Wiese im grauen Anzug

kommt sich schäbig vor. Er nimmt einen Fünfzigmarkschein aus der Brieftasche, faltet ihn zusammen und drückt ihn dem Vater des Mädchens in die Hand, als ob er damit die Schuld, die auf seinem Gewissen lastet, abkaufen könnte. Als er wenige Schritte gegangen ist, tritt hinter einem Grabstein Sakowski hervor, der alte Sakowski. Wiese graut vor ihm. Er geht an ihm vorbei, als hätte er ihn nie gesehen. Spang gibt für Wieses Verhalten eine originelle Erklärung. Nicht Kontaktarmut, nicht Mangel an Hilfsbereitschaft, nicht fehlendes Verständnis für das Bestreben des anderen, seine große Chance wahrzunehmen, machten ihn so hart gegen Sakowski. Es ist die eigene Lebensangst, die ihm die gescheiterte Existenz des anderen immer als Möglichkeit des eigenen Lebens vor Augen führt. Sie gehören zum Bereich der Kunst, sind ihr verschworen wie Angehörige einer Kompanie einander im Kriege. Jeder von ihnen ist vom Vergessensein, vom Untergang, vom Betrunkensein bedroht. Sakowski ist eine Möglichkeit des eigenen Lebens, „vor der ihm grauste, wie es ihm manchmal vor Sakowski gegraust hatte." Er schämt sich dessen, als er hört, daß er zu den gleichen Leuten gehörte wie Sakowski. Der einzige Unterschied zwischen ihnen war, daß er erfolgreich, Sakowski aber gescheitert war. Der Kontakt zum Leben wird durch Fünfzigmarkscheine hergestellt. Weil er den Fünfzigmarkschein in seiner Brieftasche behielt, mußte der andere sterben.
Das wäre eine grauenvolle, aber immerhin beim menschlichen Versagen Sakowskis eine gewisse Ordnung gewesen. Aber das blinde Schicksal griff anders zu. Das Mädchen starb, weil es glaubte, er sei tot. Es starb umsonst, dieser Tod war unnötig, sinnlos. Der alte Sakowski „mit dem Stock aus Ebenholz, mit dem hundstraurigen Schnorrerlächeln" geht lebendig wie je vorbei. Es hat sich nichts geändert, das grausige Beispiel der Möglichkeit des eigenen Lebens für Wiese bleibt. Von hier aus weitet sich der Horizont. Die Kurzgeschichte berührt zuerst den Künstler, der abhängig von der Gunst des Publikums, vom Zufall des Erfolges ist. Aber der allgemein menschliche Bezug ist offen. Für jedermann, gleichgültig ob Künstler oder nicht, gibt es den Sakowski. In der Kurzgeschichte steht er gegen Schuld und Schicksal nur stellvertretend für alle Menschen.